				Air Tables developed by K. W. Lindler - U. S. Naval Academy				
T	t	h	Pr	u	vr	φ	Cp	Cv	k
°R	°F	Btu/lbm		Btu/lbm		Btu/lbm°R	Btu/lbm°R	Btu/lbm°R	
450	-10	107.5	0.733	76.7	227.469	0.5571	0.2396	0.1711	1.401
451	-9	107.8	0.739	76.8	226.212	0.5576	0.2396	0.1711	1.401
452	-8	108.0	0.744	77.0	224.965	0.5582	0.2396	0.1711	1.401
453	-7	108.2	0.750	77.2	223.728	0.5587	0.2396	0.1711	1.401
454	-6	108.5	0.756	77.4	222.500	0.5592	0.2396	0.1711	1.401
455	-5	108.7	0.762	77.5	221.281	0.5597	0.2396	0.1711	1.401
456	-4	109.0	0.768	77.7	220.072	0.5603	0.2396	0.1711	1.401
457	-3	109.2	0.773	77.9	218.872	0.5608	0.2396	0.1711	1.401
458	-2	109.4	0.779	78.0	217.682	0.5613	0.2396	0.1711	1.401
459	-1	109.7	0.785	78.2	216.500	0.5618	0.2396	0.1711	1.401
460	0	109.9	0.791	78.4	215.327	0.5624	0.2396	0.1711	1.401
461	1	110.2	0.797	78.6	214.163	0.5629	0.2396	0.1711	1.401
462	2	110.4	0.803	78.7	213.008	0.5634	0.2396	0.1711	1.401
463	3	110.6	0.810	78.9	211.862	0.5639	0.2396	0.1711	1.401
464	4	110.9	0.816	79.1	210.724	0.5644	0.2396	0.1711	1.401
465	5	111.1	0.822	79.2	209.595	0.5649	0.2396	0.1711	1.401
466	6	111.4	0.828	79.4	208.474	0.5655	0.2396	0.1711	1.401
467	7	111.6	0.834	79.6	207.362	0.5660	0.2396	0.1711	1.401
468	8	111.8	0.841	79.8	206.258	0.5665	0.2396	0.1711	1.401
469	9	112.1	0.847	79.9	205.162	0.5670	0.2396	0.1711	1.401
470	10	112.3	0.853	80.1	204.075	0.5675	0.2396	0.1711	1.401
471	11	112.6	0.859	80.3	202.995	0.5680	0.2396	0.1711	1.401
472	12	112.8	0.866	80.4	201.923	0.5685	0.2396	0.1711	1.401
473	13	113.0	0.872	80.6	200.859	0.5690	0.2396	0.1711	1.401
474	14	113.3	0.879	80.8	199.804	0.5695	0.2396	0.1711	1.401
475	15	113.5	0.885	81.0	198.755	0.5700	0.2396	0.1711	1.401
476	16	113.8	0.892	81.1	197.715	0.5706	0.2396	0.1711	1.401
477	17	114.0	0.898	81.3	196.682	0.5711	0.2396	0.1711	1.401
478	18	114.2	0.905	81.5	195.657	0.5716	0.2396	0.1711	1.401
479	19	114.5	0.912	81.6	194.639	0.5721	0.2396	0.1711	1.401
480	20	114.7	0.918	81.8	193.628	0.5726	0.2396	0.1711	1.401
481	21	115.0	0.925	82.0	192.625	0.5731	0.2396	0.1711	1.401
482	22	115.2	0.932	82.1	191.629	0.5736	0.2396	0.1711	1.401
483	23	115.4	0.939	82.3	190.641	0.5740	0.2396	0.1711	1.401
484	24	115.7	0.945	82.5	189.659	0.5745	0.2396	0.1711	1.401
485	25	115.9	0.952	82.7	188.684	0.5750	0.2396	0.1711	1.401
486	26	116.1	0.959	82.8	187.717	0.5755	0.2396	0.1711	1.401
487	27	116.4	0.966	83.0	186.756	0.5760	0.2396	0.1711	1.401
488	28	116.6	0.973	83.2	185.803	0.5765	0.2396	0.1711	1.401
489	29	116.9	0.980	83.3	184.856	0.5770	0.2397	0.1711	1.401
490	30	117.1	0.987	83.5	183.915	0.5775	0.2397	0.1711	1.401
491	31	117.3	0.994	83.7	182.982	0.5780	0.2397	0.1711	1.401
492	32	117.6	1.001	83.9	182.055	0.5785	0.2397	0.1711	1.401
493	33	117.8	1.008	84.0	181.134	0.5790	0.2397	0.1711	1.401
494	34	118.1	1.015	84.2	180.221	0.5794	0.2397	0.1711	1.401
495	35	118.3	1.023	84.4	179.313	0.5799	0.2397	0.1711	1.401
496	36	118.5	1.030	84.5	178.412	0.5804	0.2397	0.1711	1.401
497	37	118.8	1.037	84.7	177.517	0.5809	0.2397	0.1711	1.401
498	38	119.0	1.044	84.9	176.629	0.5814	0.2397	0.1711	1.401
499	39	119.3	1.052	85.1	175.746	0.5819	0.2397	0.1711	1.401

Air Tables developed by K. W. Lindler - U. S. Naval Academy								
T	t	h	Pr	u	vr	φ	Cp	Cv	k
°R	°F	Btu/lbm		Btu/lbm		Btu/lbm°R	Btu/lbm°R	Btu/lbm°R	
500	40	119.5	1.059	85.2	174.870	0.5823	0.2397	0.1711	1.401
501	41	119.7	1.067	85.4	174.000	0.5828	0.2397	0.1711	1.401
502	42	120.0	1.074	85.6	173.136	0.5833	0.2397	0.1711	1.401
503	43	120.2	1.082	85.7	172.278	0.5838	0.2397	0.1711	1.401
504	44	120.5	1.089	85.9	171.426	0.5842	0.2397	0.1711	1.401
505	45	120.7	1.097	86.1	170.580	0.5847	0.2397	0.1711	1.401
506	46	120.9	1.104	86.3	169.739	0.5852	0.2397	0.1711	1.401
507	47	121.2	1.112	86.4	168.905	0.5857	0.2397	0.1712	1.401
508	48	121.4	1.120	86.6	168.076	0.5861	0.2397	0.1712	1.401
509	49	121.7	1.127	86.8	167.252	0.5866	0.2397	0.1712	1.401
510	50	121.9	1.135	86.9	166.435	0.5871	0.2397	0.1712	1.400
511	51	122.1	1.143	87.1	165.623	0.5876	0.2397	0.1712	1.400
512	52	122.4	1.151	87.3	164.816	0.5880	0.2397	0.1712	1.400
513	53	122.6	1.159	87.5	164.015	0.5885	0.2397	0.1712	1.400
514	54	122.9	1.167	87.6	163.219	0.5890	0.2397	0.1712	1.400
515	55	123.1	1.174	87.8	162.429	0.5894	0.2397	0.1712	1.400
516	56	123.3	1.182	88.0	161.644	0.5899	0.2397	0.1712	1.400
517	57	123.6	1.191	88.1	160.865	0.5904	0.2397	0.1712	1.400
518	58	123.8	1.199	88.3	160.090	0.5908	0.2397	0.1712	1.400
519	59	124.1	1.207	88.5	159.321	0.5913	0.2397	0.1712	1.400
520	60	124.3	1.215	88.7	158.557	0.5917	0.2398	0.1712	1.400
521	61	124.5	1.223	88.8	157.798	0.5922	0.2398	0.1712	1.400
522	62	124.8	1.231	89.0	157.044	0.5927	0.2398	0.1712	1.400
523	63	125.0	1.240	89.2	156.295	0.5931	0.2398	0.1712	1.400
524	64	125.3	1.248	89.3	155.551	0.5936	0.2398	0.1712	1.400
525	65	125.5	1.256	89.5	154.812	0.5940	0.2398	0.1712	1.400
526	66	125.7	1.265	89.7	154.078	0.5945	0.2398	0.1712	1.400
527	67	126.0	1.273	89.9	153.349	0.5949	0.2398	0.1712	1.400
528	68	126.2	1.281	90.0	152.624	0.5954	0.2398	0.1712	1.400
529	69	126.5	1.290	90.2	151.904	0.5959	0.2398	0.1712	1.400
530	70	126.7	1.299	90.4	151.189	0.5963	0.2398	0.1712	1.400
531	71	126.9	1.307	90.5	150.479	0.5968	0.2398	0.1713	1.400
532	72	127.2	1.316	90.7	149.773	0.5972	0.2398	0.1713	1.400
533	73	127.4	1.324	90.9	149.072	0.5977	0.2398	0.1713	1.400
534	74	127.7	1.333	91.1	148.376	0.5981	0.2398	0.1713	1.400
535	75	127.9	1.342	91.2	147.684	0.5986	0.2398	0.1713	1.400
536	76	128.1	1.351	91.4	146.996	0.5990	0.2398	0.1713	1.400
537	77	128.4	1.360	91.6	146.313	0.5995	0.2398	0.1713	1.400
538	78	128.6	1.368	91.7	145.635	0.5999	0.2398	0.1713	1.400
539	79	128.9	1.377	91.9	144.961	0.6003	0.2398	0.1713	1.400
540	80	129.1	1.386	92.1	144.291	0.6008	0.2399	0.1713	1.400
541	81	129.3	1.395	92.2	143.625	0.6012	0.2399	0.1713	1.400
542	82	129.6	1.404	92.4	142.964	0.6017	0.2399	0.1713	1.400
543	83	129.8	1.413	92.6	142.307	0.6021	0.2399	0.1713	1.400
544	84	130.1	1.423	92.8	141.654	0.6026	0.2399	0.1713	1.400
545	85	130.3	1.432	92.9	141.005	0.6030	0.2399	0.1713	1.400
546	86	130.5	1.441	93.1	140.360	0.6034	0.2399	0.1713	1.400
547	87	130.8	1.450	93.3	139.720	0.6039	0.2399	0.1713	1.400
548	88	131.0	1.460	93.4	139.083	0.6043	0.2399	0.1714	1.400
549	89	131.3	1.469	93.6	138.451	0.6048	0.2399	0.1714	1.400

Air Tables developed by K. W. Lindler - U. S. Naval Academy									
T	t	h	Pr	u	vr	φ	Cp	Cv	k
°R	°F	Btu/lbm		Btu/lbm		Btu/lbm°R	Btu/lbm°R	Btu/lbm°R	
550	90	131.5	1.478	93.8	137.823	0.6052	0.2399	0.1714	1.400
551	91	131.7	1.488	94.0	137.198	0.6056	0.2399	0.1714	1.400
552	92	132.0	1.497	94.1	136.578	0.6061	0.2399	0.1714	1.400
553	93	132.2	1.507	94.3	135.961	0.6065	0.2399	0.1714	1.400
554	94	132.5	1.516	94.5	135.348	0.6069	0.2399	0.1714	1.400
555	95	132.7	1.526	94.6	134.739	0.6074	0.2399	0.1714	1.400
556	96	132.9	1.535	94.8	134.134	0.6078	0.2400	0.1714	1.400
557	97	133.2	1.545	95.0	133.533	0.6082	0.2400	0.1714	1.400
558	98	133.4	1.555	95.2	132.935	0.6087	0.2400	0.1714	1.400
559	99	133.7	1.565	95.3	132.341	0.6091	0.2400	0.1714	1.400
560	100	133.9	1.574	95.5	131.751	0.6095	0.2400	0.1714	1.400
561	101	134.1	1.584	95.7	131.165	0.6099	0.2400	0.1714	1.400
562	102	134.4	1.594	95.8	130.582	0.6104	0.2400	0.1714	1.400
563	103	134.6	1.604	96.0	130.002	0.6108	0.2400	0.1715	1.400
564	104	134.9	1.614	96.2	129.426	0.6112	0.2400	0.1715	1.400
565	105	135.1	1.624	96.4	128.854	0.6116	0.2400	0.1715	1.400
566	106	135.3	1.634	96.5	128.285	0.6121	0.2400	0.1715	1.400
567	107	135.6	1.644	96.7	127.720	0.6125	0.2400	0.1715	1.400
568	108	135.8	1.655	96.9	127.158	0.6129	0.2400	0.1715	1.400
569	109	136.1	1.665	97.0	126.600	0.6133	0.2401	0.1715	1.400
570	110	136.3	1.675	97.2	126.045	0.6138	0.2401	0.1715	1.400
571	111	136.5	1.685	97.4	125.494	0.6142	0.2401	0.1715	1.400
572	112	136.8	1.696	97.6	124.945	0.6146	0.2401	0.1715	1.400
573	113	137.0	1.706	97.7	124.400	0.6150	0.2401	0.1715	1.400
574	114	137.3	1.717	97.9	123.859	0.6154	0.2401	0.1715	1.400
575	115	137.5	1.727	98.1	123.320	0.6159	0.2401	0.1716	1.400
576	116	137.7	1.738	98.2	122.785	0.6163	0.2401	0.1716	1.400
577	117	138.0	1.748	98.4	122.253	0.6167	0.2401	0.1716	1.400
578	118	138.2	1.759	98.6	121.725	0.6171	0.2401	0.1716	1.400
579	119	138.5	1.770	98.8	121.199	0.6175	0.2401	0.1716	1.400
580	120	138.7	1.780	98.9	120.677	0.6179	0.2401	0.1716	1.399
581	121	138.9	1.791	99.1	120.157	0.6184	0.2402	0.1716	1.399
582	122	139.2	1.802	99.3	119.641	0.6188	0.2402	0.1716	1.399
583	123	139.4	1.813	99.5	119.128	0.6192	0.2402	0.1716	1.399
584	124	139.7	1.824	99.6	118.618	0.6196	0.2402	0.1716	1.399
585	125	139.9	1.835	99.8	118.111	0.6200	0.2402	0.1716	1.399
586	126	140.1	1.846	100.0	117.607	0.6204	0.2402	0.1716	1.399
587	127	140.4	1.857	100.1	117.106	0.6208	0.2402	0.1717	1.399
588	128	140.6	1.868	100.3	116.608	0.6212	0.2402	0.1717	1.399
589	129	140.9	1.879	100.5	116.113	0.6216	0.2402	0.1717	1.399
590	130	141.1	1.890	100.7	115.621	0.6220	0.2402	0.1717	1.399
591	131	141.3	1.902	100.8	115.131	0.6225	0.2402	0.1717	1.399
592	132	141.6	1.913	101.0	114.645	0.6229	0.2403	0.1717	1.399
593	133	141.8	1.924	101.2	114.161	0.6233	0.2403	0.1717	1.399
594	134	142.1	1.936	101.3	113.680	0.6237	0.2403	0.1717	1.399
595	135	142.3	1.947	101.5	113.202	0.6241	0.2403	0.1717	1.399
596	136	142.5	1.959	101.7	112.727	0.6245	0.2403	0.1717	1.399
597	137	142.8	1.970	101.9	112.254	0.6249	0.2403	0.1717	1.399
598	138	143.0	1.982	102.0	111.785	0.6253	0.2403	0.1718	1.399
599	139	143.3	1.993	102.2	111.318	0.6257	0.2403	0.1718	1.399

Air Tables developed by K. W. Lindler - U. S. Naval Academy									
T	t	h	Pr	u	vr	φ	Cp	Cv	k
°R	°F	Btu/lbm		Btu/lbm		Btu/lbm°R	Btu/lbm°R	Btu/lbm°R	
600	140	143.5	2.005	102.4	110.853	0.6261	0.2403	0.1718	1.399
601	141	143.7	2.017	102.5	110.392	0.6265	0.2403	0.1718	1.399
602	142	144.0	2.029	102.7	109.933	0.6269	0.2403	0.1718	1.399
603	143	144.2	2.040	102.9	109.476	0.6273	0.2404	0.1718	1.399
604	144	144.5	2.052	103.1	109.023	0.6277	0.2404	0.1718	1.399
605	145	144.7	2.064	103.2	108.571	0.6281	0.2404	0.1718	1.399
606	146	144.9	2.076	103.4	108.123	0.6285	0.2404	0.1718	1.399
607	147	145.2	2.088	103.6	107.677	0.6289	0.2404	0.1719	1.399
608	148	145.4	2.100	103.7	107.233	0.6293	0.2404	0.1719	1.399
609	149	145.7	2.112	103.9	106.793	0.6297	0.2404	0.1719	1.399
610	150	145.9	2.125	104.1	106.354	0.6301	0.2404	0.1719	1.399
611	151	146.1	2.137	104.3	105.918	0.6305	0.2404	0.1719	1.399
612	152	146.4	2.149	104.4	105.485	0.6308	0.2405	0.1719	1.399
613	153	146.6	2.162	104.6	105.054	0.6312	0.2405	0.1719	1.399
614	154	146.9	2.174	104.8	104.625	0.6316	0.2405	0.1719	1.399
615	155	147.1	2.186	104.9	104.199	0.6320	0.2405	0.1719	1.399
616	156	147.3	2.199	105.1	103.775	0.6324	0.2405	0.1719	1.399
617	157	147.6	2.211	105.3	103.354	0.6328	0.2405	0.1720	1.399
618	158	147.8	2.224	105.5	102.935	0.6332	0.2405	0.1720	1.399
619	159	148.1	2.237	105.6	102.518	0.6336	0.2405	0.1720	1.399
620	160	148.3	2.249	105.8	102.104	0.6340	0.2405	0.1720	1.399
621	161	148.5	2.262	106.0	101.692	0.6344	0.2406	0.1720	1.399
622	162	148.8	2.275	106.2	101.282	0.6347	0.2406	0.1720	1.399
623	163	149.0	2.288	106.3	100.874	0.6351	0.2406	0.1720	1.398
624	164	149.3	2.301	106.5	100.469	0.6355	0.2406	0.1720	1.398
625	165	149.5	2.314	106.7	100.066	0.6359	0.2406	0.1720	1.398
626	166	149.8	2.327	106.8	99.666	0.6363	0.2406	0.1721	1.398
627	167	150.0	2.340	107.0	99.267	0.6367	0.2406	0.1721	1.398
628	168	150.2	2.353	107.2	98.871	0.6371	0.2406	0.1721	1.398
629	169	150.5	2.366	107.4	98.477	0.6374	0.2406	0.1721	1.398
630	170	150.7	2.379	107.5	98.085	0.6378	0.2407	0.1721	1.398
631	171	151.0	2.393	107.7	97.695	0.6382	0.2407	0.1721	1.398
632	172	151.2	2.406	107.9	97.307	0.6386	0.2407	0.1721	1.398
633	173	151.4	2.419	108.0	96.921	0.6390	0.2407	0.1721	1.398
634	174	151.7	2.433	108.2	96.538	0.6393	0.2407	0.1722	1.398
635	175	151.9	2.446	108.4	96.157	0.6397	0.2407	0.1722	1.398
636	176	152.2	2.460	108.6	95.777	0.6401	0.2407	0.1722	1.398
637	177	152.4	2.473	108.7	95.400	0.6405	0.2407	0.1722	1.398
638	178	152.6	2.487	108.9	95.025	0.6409	0.2408	0.1722	1.398
639	179	152.9	2.501	109.1	94.652	0.6412	0.2408	0.1722	1.398
640	180	153.1	2.515	109.2	94.281	0.6416	0.2408	0.1722	1.398
641	181	153.4	2.528	109.4	93.911	0.6420	0.2408	0.1722	1.398
642	182	153.6	2.542	109.6	93.544	0.6424	0.2408	0.1723	1.398
643	183	153.8	2.556	109.8	93.179	0.6427	0.2408	0.1723	1.398
644	184	154.1	2.570	109.9	92.816	0.6431	0.2408	0.1723	1.398
645	185	154.3	2.584	110.1	92.455	0.6435	0.2408	0.1723	1.398
646	186	154.6	2.598	110.3	92.095	0.6439	0.2409	0.1723	1.398
647	187	154.8	2.613	110.5	91.738	0.6442	0.2409	0.1723	1.398
648	188	155.0	2.627	110.6	91.383	0.6446	0.2409	0.1723	1.398
649	189	155.3	2.641	110.8	91.029	0.6450	0.2409	0.1723	1.398

Air Tables developed by K. W. Lindler - U. S. Naval Academy									
T	t	h	Pr	u	vr	φ	Cp	Cv	k
°R	°F	Btu/lbm		Btu/lbm		Btu/lbm°R	Btu/lbm°R	Btu/lbm°R	
650	190	155.5	2.655	111.0	90.677	0.6453	0.2409	0.1724	1.398
651	191	155.8	2.670	111.1	90.327	0.6457	0.2409	0.1724	1.398
652	192	156.0	2.684	111.3	89.979	0.6461	0.2409	0.1724	1.398
653	193	156.3	2.699	111.5	89.633	0.6465	0.2409	0.1724	1.398
654	194	156.5	2.713	111.7	89.289	0.6468	0.2410	0.1724	1.398
655	195	156.7	2.728	111.8	88.947	0.6472	0.2410	0.1724	1.398
656	196	157.0	2.743	112.0	88.606	0.6476	0.2410	0.1724	1.398
657	197	157.2	2.757	112.2	88.267	0.6479	0.2410	0.1725	1.397
658	198	157.5	2.772	112.4	87.930	0.6483	0.2410	0.1725	1.397
659	199	157.7	2.787	112.5	87.595	0.6487	0.2410	0.1725	1.397
660	200	157.9	2.802	112.7	87.261	0.6490	0.2410	0.1725	1.397
661	201	158.2	2.817	112.9	86.929	0.6494	0.2411	0.1725	1.397
662	202	158.4	2.832	113.0	86.599	0.6498	0.2411	0.1725	1.397
663	203	158.7	2.847	113.2	86.271	0.6501	0.2411	0.1725	1.397
664	204	158.9	2.862	113.4	85.944	0.6505	0.2411	0.1726	1.397
665	205	159.1	2.877	113.6	85.619	0.6508	0.2411	0.1726	1.397
666	206	159.4	2.892	113.7	85.296	0.6512	0.2411	0.1726	1.397
667	207	159.6	2.908	113.9	84.974	0.6516	0.2411	0.1726	1.397
668	208	159.9	2.923	114.1	84.654	0.6519	0.2412	0.1726	1.397
669	209	160.1	2.938	114.2	84.336	0.6523	0.2412	0.1726	1.397
670	210	160.3	2.954	114.4	84.019	0.6526	0.2412	0.1726	1.397
671	211	160.6	2.969	114.6	83.704	0.6530	0.2412	0.1727	1.397
672	212	160.8	2.985	114.8	83.391	0.6534	0.2412	0.1727	1.397
673	213	161.1	3.001	114.9	83.079	0.6537	0.2412	0.1727	1.397
674	214	161.3	3.016	115.1	82.769	0.6541	0.2412	0.1727	1.397
675	215	161.6	3.032	115.3	82.460	0.6544	0.2413	0.1727	1.397
676	216	161.8	3.048	115.5	82.153	0.6548	0.2413	0.1727	1.397
677	217	162.0	3.064	115.6	81.848	0.6552	0.2413	0.1727	1.397
678	218	162.3	3.080	115.8	81.544	0.6555	0.2413	0.1728	1.397
679	219	162.5	3.096	116.0	81.242	0.6559	0.2413	0.1728	1.397
680	220	162.8	3.112	116.1	80.941	0.6562	0.2413	0.1728	1.397
681	221	163.0	3.128	116.3	80.642	0.6566	0.2413	0.1728	1.397
682	222	163.2	3.144	116.5	80.344	0.6569	0.2414	0.1728	1.397
683	223	163.5	3.161	116.7	80.048	0.6573	0.2414	0.1728	1.397
684	224	163.7	3.177	116.8	79.753	0.6576	0.2414	0.1728	1.397
685	225	164.0	3.193	117.0	79.460	0.6580	0.2414	0.1729	1.397
686	226	164.2	3.210	117.2	79.168	0.6583	0.2414	0.1729	1.397
687	227	164.5	3.226	117.4	78.878	0.6587	0.2414	0.1729	1.396
688	228	164.7	3.243	117.5	78.589	0.6590	0.2415	0.1729	1.396
689	229	164.9	3.260	117.7	78.301	0.6594	0.2415	0.1729	1.396
690	230	165.2	3.276	117.9	78.015	0.6597	0.2415	0.1729	1.396
691	231	165.4	3.293	118.1	77.731	0.6601	0.2415	0.1730	1.396
692	232	165.7	3.310	118.2	77.448	0.6604	0.2415	0.1730	1.396
693	233	165.9	3.327	118.4	77.166	0.6608	0.2415	0.1730	1.396
694	234	166.1	3.344	118.6	76.886	0.6611	0.2415	0.1730	1.396
695	235	166.4	3.361	118.7	76.607	0.6615	0.2416	0.1730	1.396
696	236	166.6	3.378	118.9	76.329	0.6618	0.2416	0.1730	1.396
697	237	166.9	3.395	119.1	76.053	0.6622	0.2416	0.1730	1.396
698	238	167.1	3.412	119.3	75.779	0.6625	0.2416	0.1731	1.396
699	239	167.4	3.429	119.4	75.505	0.6629	0.2416	0.1731	1.396

Air Tables developed by K. W. Lindler - U. S. Naval Academy									
T	t	h	Pr	u	vr	φ	Cp	Cv	k
°R	°F	Btu/lbm		Btu/lbm		Btu/lbm°R	Btu/lbm°R	Btu/lbm°R	
700	240	167.6	3.447	119.6	75.233	0.6632	0.2416	0.1731	1.396
701	241	167.8	3.464	119.8	74.962	0.6636	0.2417	0.1731	1.396
702	242	168.1	3.481	120.0	74.693	0.6639	0.2417	0.1731	1.396
703	243	168.3	3.499	120.1	74.425	0.6643	0.2417	0.1731	1.396
704	244	168.6	3.517	120.3	74.158	0.6646	0.2417	0.1732	1.396
705	245	168.8	3.534	120.5	73.893	0.6649	0.2417	0.1732	1.396
706	246	169.0	3.552	120.6	73.629	0.6653	0.2417	0.1732	1.396
707	247	169.3	3.570	120.8	73.366	0.6656	0.2418	0.1732	1.396
708	248	169.5	3.588	121.0	73.104	0.6660	0.2418	0.1732	1.396
709	249	169.8	3.605	121.2	72.844	0.6663	0.2418	0.1732	1.396
710	250	170.0	3.623	121.3	72.585	0.6667	0.2418	0.1733	1.396
711	251	170.3	3.641	121.5	72.327	0.6670	0.2418	0.1733	1.396
712	252	170.5	3.660	121.7	72.071	0.6673	0.2418	0.1733	1.396
713	253	170.7	3.678	121.9	71.815	0.6677	0.2419	0.1733	1.396
714	254	171.0	3.696	122.0	71.561	0.6680	0.2419	0.1733	1.395
715	255	171.2	3.714	122.2	71.308	0.6683	0.2419	0.1733	1.395
716	256	171.5	3.733	122.4	71.057	0.6687	0.2419	0.1734	1.395
717	257	171.7	3.751	122.6	70.807	0.6690	0.2419	0.1734	1.395
718	258	171.9	3.770	122.7	70.557	0.6694	0.2419	0.1734	1.395
719	259	172.2	3.788	122.9	70.309	0.6697	0.2420	0.1734	1.395
720	260	172.4	3.807	123.1	70.063	0.6700	0.2420	0.1734	1.395
721	261	172.7	3.825	123.2	69.817	0.6704	0.2420	0.1734	1.395
722	262	172.9	3.844	123.4	69.573	0.6707	0.2420	0.1735	1.395
723	263	173.2	3.863	123.6	69.329	0.6710	0.2420	0.1735	1.395
724	264	173.4	3.882	123.8	69.087	0.6714	0.2420	0.1735	1.395
725	265	173.6	3.901	123.9	68.846	0.6717	0.2421	0.1735	1.395
726	266	173.9	3.920	124.1	68.607	0.6720	0.2421	0.1735	1.395
727	267	174.1	3.939	124.3	68.368	0.6724	0.2421	0.1735	1.395
728	268	174.4	3.958	124.5	68.130	0.6727	0.2421	0.1736	1.395
729	269	174.6	3.977	124.6	67.894	0.6730	0.2421	0.1736	1.395
730	270	174.8	3.997	124.8	67.659	0.6734	0.2421	0.1736	1.395
731	271	175.1	4.016	125.0	67.425	0.6737	0.2422	0.1736	1.395
732	272	175.3	4.036	125.2	67.191	0.6740	0.2422	0.1736	1.395
733	273	175.6	4.055	125.3	66.959	0.6744	0.2422	0.1737	1.395
734	274	175.8	4.075	125.5	66.729	0.6747	0.2422	0.1737	1.395
735	275	176.1	4.094	125.7	66.499	0.6750	0.2422	0.1737	1.395
736	276	176.3	4.114	125.8	66.270	0.6754	0.2423	0.1737	1.395
737	277	176.5	4.134	126.0	66.043	0.6757	0.2423	0.1737	1.395
738	278	176.8	4.154	126.2	65.816	0.6760	0.2423	0.1737	1.395
739	279	177.0	4.174	126.4	65.590	0.6763	0.2423	0.1738	1.395
740	280	177.3	4.194	126.5	65.366	0.6767	0.2423	0.1738	1.394
741	281	177.5	4.214	126.7	65.143	0.6770	0.2423	0.1738	1.394
742	282	177.8	4.234	126.9	64.920	0.6773	0.2424	0.1738	1.394
743	283	178.0	4.254	127.1	64.699	0.6776	0.2424	0.1738	1.394
744	284	178.2	4.274	127.2	64.479	0.6780	0.2424	0.1739	1.394
745	285	178.5	4.295	127.4	64.259	0.6783	0.2424	0.1739	1.394
746	286	178.7	4.315	127.6	64.041	0.6786	0.2424	0.1739	1.394
747	287	179.0	4.336	127.8	63.824	0.6790	0.2425	0.1739	1.394
748	288	179.2	4.356	127.9	63.607	0.6793	0.2425	0.1739	1.394
749	289	179.5	4.377	128.1	63.392	0.6796	0.2425	0.1739	1.394

T	t	h	Pr	u	vr	φ	Cp	Cv	k
°R	°F	Btu/lbm		Btu/lbm		Btu/lbm°R	Btu/lbm°R	Btu/lbm°R	
750	290	179.7	4.397	128.3	63.178	0.6799	0.2425	0.1740	1.394
751	291	179.9	4.418	128.5	62.965	0.6802	0.2425	0.1740	1.394
752	292	180.2	4.439	128.6	62.752	0.6806	0.2426	0.1740	1.394
753	293	180.4	4.460	128.8	62.541	0.6809	0.2426	0.1740	1.394
754	294	180.7	4.481	129.0	62.331	0.6812	0.2426	0.1740	1.394
755	295	180.9	4.502	129.2	62.121	0.6815	0.2426	0.1741	1.394
756	296	181.2	4.523	129.3	61.913	0.6819	0.2426	0.1741	1.394
757	297	181.4	4.544	129.5	61.705	0.6822	0.2426	0.1741	1.394
758	298	181.6	4.566	129.7	61.499	0.6825	0.2427	0.1741	1.394
759	299	181.9	4.587	129.8	61.293	0.6828	0.2427	0.1741	1.394
760	300	182.1	4.609	130.0	61.088	0.6831	0.2427	0.1742	1.394
761	301	182.4	4.630	130.2	60.885	0.6835	0.2427	0.1742	1.394
762	302	182.6	4.652	130.4	60.682	0.6838	0.2427	0.1742	1.394
763	303	182.8	4.673	130.5	60.480	0.6841	0.2428	0.1742	1.393
764	304	183.1	4.695	130.7	60.279	0.6844	0.2428	0.1742	1.393
765	305	183.3	4.717	130.9	60.079	0.6847	0.2428	0.1743	1.393
766	306	183.6	4.739	131.1	59.880	0.6850	0.2428	0.1743	1.393
767	307	183.8	4.761	131.2	59.681	0.6854	0.2428	0.1743	1.393
768	308	184.1	4.783	131.4	59.484	0.6857	0.2429	0.1743	1.393
769	309	184.3	4.805	131.6	59.288	0.6860	0.2429	0.1743	1.393
770	310	184.5	4.827	131.8	59.092	0.6863	0.2429	0.1743	1.393
771	311	184.8	4.849	131.9	58.897	0.6866	0.2429	0.1744	1.393
772	312	185.0	4.871	132.1	58.703	0.6869	0.2429	0.1744	1.393
773	313	185.3	4.894	132.3	58.510	0.6873	0.2430	0.1744	1.393
774	314	185.5	4.916	132.5	58.318	0.6876	0.2430	0.1744	1.393
775	315	185.8	4.939	132.6	58.127	0.6879	0.2430	0.1744	1.393
776	316	186.0	4.962	132.8	57.936	0.6882	0.2430	0.1745	1.393
777	317	186.3	4.984	133.0	57.747	0.6885	0.2430	0.1745	1.393
778	318	186.5	5.007	133.2	57.558	0.6888	0.2431	0.1745	1.393
779	319	186.7	5.030	133.3	57.370	0.6891	0.2431	0.1745	1.393
780	320	187.0	5.053	133.5	57.183	0.6894	0.2431	0.1745	1.393
781	321	187.2	5.076	133.7	56.997	0.6898	0.2431	0.1746	1.393
782	322	187.5	5.099	133.9	56.811	0.6901	0.2431	0.1746	1.393
783	323	187.7	5.122	134.0	56.627	0.6904	0.2432	0.1746	1.393
784	324	188.0	5.145	134.2	56.443	0.6907	0.2432	0.1746	1.393
785	325	188.2	5.169	134.4	56.260	0.6910	0.2432	0.1747	1.392
786	326	188.4	5.192	134.6	56.078	0.6913	0.2432	0.1747	1.392
787	327	188.7	5.216	134.7	55.896	0.6916	0.2432	0.1747	1.392
788	328	188.9	5.239	134.9	55.716	0.6919	0.2433	0.1747	1.392
789	329	189.2	5.263	135.1	55.536	0.6922	0.2433	0.1747	1.392
790	330	189.4	5.286	135.3	55.357	0.6925	0.2433	0.1748	1.392
791	331	189.7	5.310	135.4	55.179	0.6929	0.2433	0.1748	1.392
792	332	189.9	5.334	135.6	55.001	0.6932	0.2433	0.1748	1.392
793	333	190.1	5.358	135.8	54.824	0.6935	0.2434	0.1748	1.392
794	334	190.4	5.382	136.0	54.648	0.6938	0.2434	0.1748	1.392
795	335	190.6	5.406	136.1	54.473	0.6941	0.2434	0.1749	1.392
796	336	190.9	5.430	136.3	54.299	0.6944	0.2434	0.1749	1.392
797	337	191.1	5.455	136.5	54.125	0.6947	0.2434	0.1749	1.392
798	338	191.4	5.479	136.7	53.952	0.6950	0.2435	0.1749	1.392
799	339	191.6	5.503	136.8	53.780	0.6953	0.2435	0.1749	1.392

Air Tables developed by K. W. Lindler - U. S. Naval Academy									
T	t	h	Pr	u	vr	φ	Cp	Cv	k
°R	°F	Btu/lbm		Btu/lbm		Btu/lbm°R	Btu/lbm°R	Btu/lbm°R	
800	340	191.8	5.528	137.0	53.609	0.6956	0.2435	0.1750	1.392
801	341	192.1	5.552	137.2	53.438	0.6959	0.2435	0.1750	1.392
802	342	192.3	5.577	137.4	53.268	0.6962	0.2436	0.1750	1.392
803	343	192.6	5.602	137.5	53.099	0.6965	0.2436	0.1750	1.392
804	344	192.8	5.627	137.7	52.931	0.6968	0.2436	0.1750	1.392
805	345	193.1	5.652	137.9	52.763	0.6971	0.2436	0.1751	1.392
806	346	193.3	5.677	138.1	52.596	0.6974	0.2436	0.1751	1.392
807	347	193.6	5.702	138.2	52.429	0.6977	0.2437	0.1751	1.391
808	348	193.8	5.727	138.4	52.264	0.6980	0.2437	0.1751	1.391
809	349	194.0	5.752	138.6	52.099	0.6983	0.2437	0.1752	1.391
810	350	194.3	5.777	138.8	51.935	0.6986	0.2437	0.1752	1.391
811	351	194.5	5.803	138.9	51.771	0.6989	0.2437	0.1752	1.391
812	352	194.8	5.828	139.1	51.608	0.6992	0.2438	0.1752	1.391
813	353	195.0	5.854	139.3	51.446	0.6995	0.2438	0.1752	1.391
814	354	195.3	5.880	139.5	51.285	0.6998	0.2438	0.1753	1.391
815	355	195.5	5.905	139.6	51.124	0.7001	0.2438	0.1753	1.391
816	356	195.7	5.931	139.8	50.964	0.7004	0.2439	0.1753	1.391
817	357	196.0	5.957	140.0	50.805	0.7007	0.2439	0.1753	1.391
818	358	196.2	5.983	140.2	50.646	0.7010	0.2439	0.1753	1.391
819	359	196.5	6.009	140.3	50.488	0.7013	0.2439	0.1754	1.391
820	360	196.7	6.035	140.5	50.331	0.7016	0.2439	0.1754	1.391
821	361	197.0	6.061	140.7	50.174	0.7019	0.2440	0.1754	1.391
822	362	197.2	6.088	140.9	50.018	0.7022	0.2440	0.1754	1.391
823	363	197.5	6.114	141.0	49.862	0.7025	0.2440	0.1755	1.391
824	364	197.7	6.141	141.2	49.708	0.7028	0.2440	0.1755	1.391
825	365	197.9	6.167	141.4	49.553	0.7031	0.2441	0.1755	1.391
826	366	198.2	6.194	141.6	49.400	0.7034	0.2441	0.1755	1.391
827	367	198.4	6.221	141.7	49.247	0.7037	0.2441	0.1755	1.390
828	368	198.7	6.247	141.9	49.095	0.7040	0.2441	0.1756	1.390
829	369	198.9	6.274	142.1	48.943	0.7043	0.2441	0.1756	1.390
830	370	199.2	6.301	142.3	48.793	0.7046	0.2442	0.1756	1.390
831	371	199.4	6.328	142.4	48.642	0.7049	0.2442	0.1756	1.390
832	372	199.6	6.356	142.6	48.493	0.7052	0.2442	0.1757	1.390
833	373	199.9	6.383	142.8	48.344	0.7055	0.2442	0.1757	1.390
834	374	200.1	6.410	143.0	48.195	0.7058	0.2443	0.1757	1.390
835	375	200.4	6.438	143.1	48.047	0.7060	0.2443	0.1757	1.390
836	376	200.6	6.465	143.3	47.900	0.7063	0.2443	0.1758	1.390
837	377	200.9	6.493	143.5	47.753	0.7066	0.2443	0.1758	1.390
838	378	201.1	6.520	143.7	47.607	0.7069	0.2443	0.1758	1.390
839	379	201.4	6.548	143.8	47.462	0.7072	0.2444	0.1758	1.390
840	380	201.6	6.576	144.0	47.317	0.7075	0.2444	0.1758	1.390
841	381	201.8	6.604	144.2	47.173	0.7078	0.2444	0.1759	1.390
842	382	202.1	6.632	144.4	47.029	0.7081	0.2444	0.1759	1.390
843	383	202.3	6.660	144.5	46.886	0.7084	0.2445	0.1759	1.390
844	384	202.6	6.688	144.7	46.744	0.7087	0.2445	0.1759	1.390
845	385	202.8	6.717	144.9	46.602	0.7090	0.2445	0.1760	1.390
846	386	203.1	6.745	145.1	46.461	0.7092	0.2445	0.1760	1.390
847	387	203.3	6.774	145.3	46.320	0.7095	0.2446	0.1760	1.389
848	388	203.6	6.802	145.4	46.180	0.7098	0.2446	0.1760	1.389
849	389	203.8	6.831	145.6	46.041	0.7101	0.2446	0.1760	1.389

Air Tables developed by K. W. Lindler - U. S. Naval Academy									
T	t	h	Pr	u	vr	φ	Cp	Cv	k
°R	°F	Btu/lbm		Btu/lbm		Btu/lbm°R	Btu/lbm°R	Btu/lbm°R	
950	490	228.6	10.222	163.5	34.427	0.7377	0.2471	0.1786	1.384
951	491	228.9	10.261	163.7	34.333	0.7380	0.2472	0.1786	1.384
952	492	229.1	10.300	163.9	34.239	0.7383	0.2472	0.1786	1.384
953	493	229.4	10.339	164.0	34.146	0.7385	0.2472	0.1787	1.384
954	494	229.6	10.378	164.2	34.053	0.7388	0.2472	0.1787	1.384
955	495	229.9	10.417	164.4	33.960	0.7390	0.2473	0.1787	1.384
956	496	230.1	10.456	164.6	33.867	0.7393	0.2473	0.1787	1.383
957	497	230.4	10.496	164.8	33.775	0.7396	0.2473	0.1788	1.383
958	498	230.6	10.536	164.9	33.683	0.7398	0.2474	0.1788	1.383
959	499	230.9	10.575	165.1	33.592	0.7401	0.2474	0.1788	1.383
960	500	231.1	10.615	165.3	33.500	0.7403	0.2474	0.1789	1.383
961	501	231.4	10.655	165.5	33.409	0.7406	0.2474	0.1789	1.383
962	502	231.6	10.695	165.7	33.319	0.7408	0.2475	0.1789	1.383
963	503	231.8	10.735	165.8	33.229	0.7411	0.2475	0.1789	1.383
964	504	232.1	10.776	166.0	33.139	0.7414	0.2475	0.1790	1.383
965	505	232.3	10.816	166.2	33.049	0.7416	0.2475	0.1790	1.383
966	506	232.6	10.857	166.4	32.960	0.7419	0.2476	0.1790	1.383
967	507	232.8	10.897	166.6	32.871	0.7421	0.2476	0.1790	1.383
968	508	233.1	10.938	166.7	32.782	0.7424	0.2476	0.1791	1.383
969	509	233.3	10.979	166.9	32.694	0.7426	0.2476	0.1791	1.383
970	510	233.6	11.020	167.1	32.606	0.7429	0.2477	0.1791	1.383
971	511	233.8	11.061	167.3	32.518	0.7432	0.2477	0.1792	1.383
972	512	234.1	11.102	167.4	32.431	0.7434	0.2477	0.1792	1.383
973	513	234.3	11.144	167.6	32.344	0.7437	0.2478	0.1792	1.383
974	514	234.6	11.185	167.8	32.257	0.7439	0.2478	0.1792	1.382
975	515	234.8	11.227	168.0	32.171	0.7442	0.2478	0.1793	1.382
976	516	235.1	11.268	168.2	32.085	0.7444	0.2478	0.1793	1.382
977	517	235.3	11.310	168.3	31.999	0.7447	0.2479	0.1793	1.382
978	518	235.6	11.352	168.5	31.913	0.7449	0.2479	0.1793	1.382
979	519	235.8	11.394	168.7	31.828	0.7452	0.2479	0.1794	1.382
980	520	236.1	11.436	168.9	31.743	0.7454	0.2480	0.1794	1.382
981	521	236.3	11.479	169.1	31.658	0.7457	0.2480	0.1794	1.382
982	522	236.6	11.521	169.2	31.574	0.7459	0.2480	0.1795	1.382
983	523	236.8	11.563	169.4	31.490	0.7462	0.2480	0.1795	1.382
984	524	237.1	11.606	169.6	31.406	0.7464	0.2481	0.1795	1.382
985	525	237.3	11.649	169.8	31.323	0.7467	0.2481	0.1795	1.382
986	526	237.5	11.692	170.0	31.240	0.7470	0.2481	0.1796	1.382
987	527	237.8	11.735	170.1	31.157	0.7472	0.2481	0.1796	1.382
988	528	238.0	11.778	170.3	31.074	0.7475	0.2482	0.1796	1.382
989	529	238.3	11.821	170.5	30.992	0.7477	0.2482	0.1797	1.382
990	530	238.5	11.864	170.7	30.910	0.7480	0.2482	0.1797	1.382
991	531	238.8	11.908	170.9	30.828	0.7482	0.2483	0.1797	1.381
992	532	239.0	11.951	171.0	30.747	0.7485	0.2483	0.1797	1.381
993	533	239.3	11.995	171.2	30.666	0.7487	0.2483	0.1798	1.381
994	534	239.5	12.039	171.4	30.585	0.7490	0.2483	0.1798	1.381
995	535	239.8	12.083	171.6	30.504	0.7492	0.2484	0.1798	1.381
996	536	240.0	12.127	171.8	30.424	0.7495	0.2484	0.1799	1.381
997	537	240.3	12.171	171.9	30.344	0.7497	0.2484	0.1799	1.381
998	538	240.5	12.215	172.1	30.264	0.7500	0.2485	0.1799	1.381
999	539	240.8	12.260	172.3	30.185	0.7502	0.2485	0.1799	1.381

Air Tables developed by K. W. Lindler - U. S. Naval Academy									
T	t	h	Pr	u	vr	φ	Cp	Cv	k
°R	°F	Btu/lbm		Btu/lbm		Btu/lbm°R	Btu/lbm°R	Btu/lbm°R	
1000	540	241.0	12.304	172.5	30.106	0.7505	0.2485	0.1800	1.381
1001	541	241.3	12.349	172.7	30.027	0.7507	0.2485	0.1800	1.381
1002	542	241.5	12.394	172.8	29.948	0.7510	0.2486	0.1800	1.381
1003	543	241.8	12.439	173.0	29.870	0.7512	0.2486	0.1800	1.381
1004	544	242.0	12.484	173.2	29.792	0.7514	0.2486	0.1801	1.381
1005	545	242.3	12.529	173.4	29.714	0.7517	0.2487	0.1801	1.381
1006	546	242.5	12.574	173.6	29.636	0.7519	0.2487	0.1801	1.381
1007	547	242.8	12.620	173.7	29.559	0.7522	0.2487	0.1802	1.380
1008	548	243.0	12.665	173.9	29.482	0.7524	0.2487	0.1802	1.380
1009	549	243.3	12.711	174.1	29.405	0.7527	0.2488	0.1802	1.380
1010	550	243.5	12.756	174.3	29.329	0.7529	0.2488	0.1802	1.380
1011	551	243.8	12.802	174.5	29.253	0.7532	0.2488	0.1803	1.380
1012	552	244.0	12.848	174.6	29.177	0.7534	0.2489	0.1803	1.380
1013	553	244.3	12.895	174.8	29.101	0.7537	0.2489	0.1803	1.380
1014	554	244.5	12.941	175.0	29.026	0.7539	0.2489	0.1804	1.380
1015	555	244.8	12.987	175.2	28.950	0.7542	0.2489	0.1804	1.380
1016	556	245.0	13.034	175.4	28.875	0.7544	0.2490	0.1804	1.380
1017	557	245.3	13.080	175.5	28.801	0.7546	0.2490	0.1804	1.380
1018	558	245.5	13.127	175.7	28.726	0.7549	0.2490	0.1805	1.380
1019	559	245.8	13.174	175.9	28.652	0.7551	0.2491	0.1805	1.380
1020	560	246.0	13.221	176.1	28.578	0.7554	0.2491	0.1805	1.380
1021	561	246.2	13.268	176.3	28.505	0.7556	0.2491	0.1806	1.380
1022	562	246.5	13.316	176.4	28.431	0.7559	0.2491	0.1806	1.380
1023	563	246.7	13.363	176.6	28.358	0.7561	0.2492	0.1806	1.380
1024	564	247.0	13.411	176.8	28.285	0.7564	0.2492	0.1806	1.379
1025	565	247.2	13.458	177.0	28.212	0.7566	0.2492	0.1807	1.379
1026	566	247.5	13.506	177.2	28.140	0.7568	0.2493	0.1807	1.379
1027	567	247.7	13.554	177.3	28.068	0.7571	0.2493	0.1807	1.379
1028	568	248.0	13.602	177.5	27.996	0.7573	0.2493	0.1808	1.379
1029	569	248.2	13.650	177.7	27.924	0.7576	0.2493	0.1808	1.379
1030	570	248.5	13.699	177.9	27.853	0.7578	0.2494	0.1808	1.379
1031	571	248.7	13.747	178.1	27.782	0.7581	0.2494	0.1809	1.379
1032	572	249.0	13.796	178.2	27.711	0.7583	0.2494	0.1809	1.379
1033	573	249.2	13.844	178.4	27.640	0.7585	0.2495	0.1809	1.379
1034	574	249.5	13.893	178.6	27.569	0.7588	0.2495	0.1809	1.379
1035	575	249.7	13.942	178.8	27.499	0.7590	0.2495	0.1810	1.379
1036	576	250.0	13.991	179.0	27.429	0.7593	0.2495	0.1810	1.379
1037	577	250.2	14.040	179.2	27.359	0.7595	0.2496	0.1810	1.379
1038	578	250.5	14.090	179.3	27.290	0.7597	0.2496	0.1811	1.379
1039	579	250.7	14.139	179.5	27.220	0.7600	0.2496	0.1811	1.379
1040	580	251.0	14.189	179.7	27.151	0.7602	0.2497	0.1811	1.378
1041	581	251.2	14.239	179.9	27.082	0.7605	0.2497	0.1811	1.378
1042	582	251.5	14.289	180.1	27.014	0.7607	0.2497	0.1812	1.378
1043	583	251.7	14.339	180.2	26.945	0.7609	0.2497	0.1812	1.378
1044	584	252.0	14.389	180.4	26.877	0.7612	0.2498	0.1812	1.378
1045	585	252.2	14.439	180.6	26.809	0.7614	0.2498	0.1813	1.378
1046	586	252.5	14.489	180.8	26.742	0.7617	0.2498	0.1813	1.378
1047	587	252.7	14.540	181.0	26.674	0.7619	0.2499	0.1813	1.378
1048	588	253.0	14.591	181.1	26.607	0.7621	0.2499	0.1813	1.378
1049	589	253.2	14.641	181.3	26.540	0.7624	0.2499	0.1814	1.378

Air Tables developed by K. W. Lindler - U. S. Naval Academy									
T	t	h	Pr	u	vr	φ	Cp	Cv	k
°R	°F	Btu/lbm		Btu/lbm		Btu/lbm°R	Btu/lbm°R	Btu/lbm°R	
1050	590	253.5	14.692	181.5	26.473	0.7626	0.2500	0.1814	1.378
1051	591	253.7	14.744	181.7	26.406	0.7629	0.2500	0.1814	1.378
1052	592	254.0	14.795	181.9	26.340	0.7631	0.2500	0.1815	1.378
1053	593	254.2	14.846	182.1	26.274	0.7633	0.2500	0.1815	1.378
1054	594	254.5	14.898	182.2	26.208	0.7636	0.2501	0.1815	1.378
1055	595	254.7	14.949	182.4	26.142	0.7638	0.2501	0.1816	1.378
1056	596	255.0	15.001	182.6	26.077	0.7640	0.2501	0.1816	1.378
1057	597	255.2	15.053	182.8	26.011	0.7643	0.2502	0.1816	1.377
1058	598	255.5	15.105	183.0	25.946	0.7645	0.2502	0.1816	1.377
1059	599	255.7	15.157	183.1	25.881	0.7647	0.2502	0.1817	1.377
1060	600	256.0	15.209	183.3	25.817	0.7650	0.2503	0.1817	1.377
1061	601	256.2	15.262	183.5	25.752	0.7652	0.2503	0.1817	1.377
1062	602	256.5	15.314	183.7	25.688	0.7655	0.2503	0.1818	1.377
1063	603	256.7	15.367	183.9	25.624	0.7657	0.2503	0.1818	1.377
1064	604	257.0	15.420	184.1	25.560	0.7659	0.2504	0.1818	1.377
1065	605	257.2	15.473	184.2	25.496	0.7662	0.2504	0.1819	1.377
1066	606	257.5	15.526	184.4	25.433	0.7664	0.2504	0.1819	1.377
1067	607	257.7	15.579	184.6	25.370	0.7666	0.2505	0.1819	1.377
1068	608	258.0	15.633	184.8	25.307	0.7669	0.2505	0.1819	1.377
1069	609	258.2	15.686	185.0	25.244	0.7671	0.2505	0.1820	1.377
1070	610	258.5	15.740	185.1	25.181	0.7673	0.2505	0.1820	1.377
1071	611	258.7	15.794	185.3	25.119	0.7676	0.2506	0.1820	1.377
1072	612	259.0	15.848	185.5	25.057	0.7678	0.2506	0.1821	1.377
1073	613	259.2	15.902	185.7	24.995	0.7680	0.2506	0.1821	1.376
1074	614	259.5	15.956	185.9	24.933	0.7683	0.2507	0.1821	1.376
1075	615	259.7	16.011	186.1	24.872	0.7685	0.2507	0.1821	1.376
1076	616	260.0	16.065	186.2	24.810	0.7687	0.2507	0.1822	1.376
1077	617	260.2	16.120	186.4	24.749	0.7690	0.2508	0.1822	1.376
1078	618	260.5	16.175	186.6	24.688	0.7692	0.2508	0.1822	1.376
1079	619	260.7	16.230	186.8	24.627	0.7694	0.2508	0.1823	1.376
1080	620	261.0	16.285	187.0	24.567	0.7697	0.2508	0.1823	1.376
1081	621	261.2	16.340	187.1	24.506	0.7699	0.2509	0.1823	1.376
1082	622	261.5	16.396	187.3	24.446	0.7701	0.2509	0.1824	1.376
1083	623	261.8	16.451	187.5	24.386	0.7704	0.2509	0.1824	1.376
1084	624	262.0	16.507	187.7	24.326	0.7706	0.2510	0.1824	1.376
1085	625	262.3	16.563	187.9	24.267	0.7708	0.2510	0.1824	1.376
1086	626	262.5	16.619	188.1	24.207	0.7711	0.2510	0.1825	1.376
1087	627	262.8	16.675	188.2	24.148	0.7713	0.2511	0.1825	1.376
1088	628	263.0	16.731	188.4	24.089	0.7715	0.2511	0.1825	1.376
1089	629	263.3	16.787	188.6	24.030	0.7717	0.2511	0.1826	1.375
1090	630	263.5	16.844	188.8	23.971	0.7720	0.2511	0.1826	1.375
1091	631	263.8	16.901	189.0	23.913	0.7722	0.2512	0.1826	1.375
1092	632	264.0	16.957	189.2	23.855	0.7724	0.2512	0.1827	1.375
1093	633	264.3	17.014	189.3	23.796	0.7727	0.2512	0.1827	1.375
1094	634	264.5	17.071	189.5	23.738	0.7729	0.2513	0.1827	1.375
1095	635	264.8	17.129	189.7	23.681	0.7731	0.2513	0.1828	1.375
1096	636	265.0	17.186	189.9	23.623	0.7734	0.2513	0.1828	1.375
1097	637	265.3	17.244	190.1	23.566	0.7736	0.2514	0.1828	1.375
1098	638	265.5	17.301	190.3	23.509	0.7738	0.2514	0.1828	1.375
1099	639	265.8	17.359	190.4	23.452	0.7740	0.2514	0.1829	1.375

Air Tables developed by K. W. Lindler - U. S. Naval Academy									
T	t	h	Pr	u	vr	φ	Cp	Cv	k
°R	°F	Btu/lbm		Btu/lbm		Btu/lbm°R	Btu/lbm°R	Btu/lbm°R	
1100	640	266.0	17.417	190.6	23.395	0.7743	0.2515	0.1829	1.375
1101	641	266.3	17.475	190.8	23.338	0.7745	0.2515	0.1829	1.375
1102	642	266.5	17.534	191.0	23.282	0.7747	0.2515	0.1830	1.375
1103	643	266.8	17.592	191.2	23.225	0.7750	0.2515	0.1830	1.375
1104	644	267.0	17.651	191.3	23.169	0.7752	0.2516	0.1830	1.375
1105	645	267.3	17.710	191.5	23.113	0.7754	0.2516	0.1831	1.374
1106	646	267.5	17.768	191.7	23.057	0.7756	0.2516	0.1831	1.374
1107	647	267.8	17.828	191.9	23.002	0.7759	0.2517	0.1831	1.374
1108	648	268.0	17.887	192.1	22.946	0.7761	0.2517	0.1831	1.374
1109	649	268.3	17.946	192.3	22.891	0.7763	0.2517	0.1832	1.374
1110	650	268.5	18.006	192.4	22.836	0.7766	0.2518	0.1832	1.374
1111	651	268.8	18.065	192.6	22.781	0.7768	0.2518	0.1832	1.374
1112	652	269.0	18.125	192.8	22.726	0.7770	0.2518	0.1833	1.374
1113	653	269.3	18.185	193.0	22.672	0.7772	0.2518	0.1833	1.374
1114	654	269.5	18.245	193.2	22.618	0.7775	0.2519	0.1833	1.374
1115	655	269.8	18.305	193.4	22.563	0.7777	0.2519	0.1834	1.374
1116	656	270.0	18.366	193.5	22.509	0.7779	0.2519	0.1834	1.374
1117	657	270.3	18.426	193.7	22.455	0.7781	0.2520	0.1834	1.374
1118	658	270.6	18.487	193.9	22.402	0.7784	0.2520	0.1835	1.374
1119	659	270.8	18.548	194.1	22.348	0.7786	0.2520	0.1835	1.374
1120	660	271.1	18.609	194.3	22.295	0.7788	0.2521	0.1835	1.374
1121	661	271.3	18.670	194.5	22.242	0.7790	0.2521	0.1835	1.373
1122	662	271.6	18.731	194.6	22.189	0.7793	0.2521	0.1836	1.373
1123	663	271.8	18.793	194.8	22.136	0.7795	0.2522	0.1836	1.373
1124	664	272.1	18.855	195.0	22.083	0.7797	0.2522	0.1836	1.373
1125	665	272.3	18.916	195.2	22.030	0.7799	0.2522	0.1837	1.373
1126	666	272.6	18.978	195.4	21.978	0.7802	0.2522	0.1837	1.373
1127	667	272.8	19.040	195.6	21.926	0.7804	0.2523	0.1837	1.373
1128	668	273.1	19.103	195.7	21.874	0.7806	0.2523	0.1838	1.373
1129	669	273.3	19.165	195.9	21.822	0.7808	0.2523	0.1838	1.373
1130	670	273.6	19.228	196.1	21.770	0.7811	0.2524	0.1838	1.373
1131	671	273.8	19.290	196.3	21.718	0.7813	0.2524	0.1839	1.373
1132	672	274.1	19.353	196.5	21.667	0.7815	0.2524	0.1839	1.373
1133	673	274.3	19.416	196.7	21.616	0.7817	0.2525	0.1839	1.373
1134	674	274.6	19.479	196.9	21.565	0.7819	0.2525	0.1839	1.373
1135	675	274.8	19.543	197.0	21.514	0.7822	0.2525	0.1840	1.373
1136	676	275.1	19.606	197.2	21.463	0.7824	0.2526	0.1840	1.373
1137	677	275.3	19.670	197.4	21.412	0.7826	0.2526	0.1840	1.372
1138	678	275.6	19.734	197.6	21.362	0.7828	0.2526	0.1841	1.372
1139	679	275.9	19.798	197.8	21.312	0.7831	0.2527	0.1841	1.372
1140	680	276.1	19.862	198.0	21.261	0.7833	0.2527	0.1841	1.372
1141	681	276.4	19.926	198.1	21.211	0.7835	0.2527	0.1842	1.372
1142	682	276.6	19.991	198.3	21.161	0.7837	0.2527	0.1842	1.372
1143	683	276.9	20.055	198.5	21.112	0.7839	0.2528	0.1842	1.372
1144	684	277.1	20.120	198.7	21.062	0.7842	0.2528	0.1843	1.372
1145	685	277.4	20.185	198.9	21.013	0.7844	0.2528	0.1843	1.372
1146	686	277.6	20.250	199.1	20.963	0.7846	0.2529	0.1843	1.372
1147	687	277.9	20.315	199.2	20.914	0.7848	0.2529	0.1844	1.372
1148	688	278.1	20.381	199.4	20.865	0.7850	0.2529	0.1844	1.372
1149	689	278.4	20.446	199.6	20.817	0.7853	0.2530	0.1844	1.372

Air Tables developed by K. W. Lindler - U. S. Naval Academy									
T	t	h	Pr	u	vr	φ	Cp	Cv	k
°R	°F	Btu/lbm		Btu/lbm		Btu/lbm°R	Btu/lbm°R	Btu/lbm°R	
1150	690	278.6	20.512	199.8	20.768	0.7855	0.2530	0.1844	1.372
1151	691	278.9	20.578	200.0	20.719	0.7857	0.2530	0.1845	1.372
1152	692	279.1	20.644	200.2	20.671	0.7859	0.2531	0.1845	1.372
1153	693	279.4	20.710	200.4	20.623	0.7861	0.2531	0.1845	1.371
1154	694	279.6	20.777	200.5	20.575	0.7864	0.2531	0.1846	1.371
1155	695	279.9	20.843	200.7	20.527	0.7866	0.2531	0.1846	1.371
1156	696	280.1	20.910	200.9	20.479	0.7868	0.2532	0.1846	1.371
1157	697	280.4	20.977	201.1	20.431	0.7870	0.2532	0.1847	1.371
1158	698	280.7	21.044	201.3	20.384	0.7872	0.2532	0.1847	1.371
1159	699	280.9	21.111	201.5	20.337	0.7875	0.2533	0.1847	1.371
1160	700	281.2	21.179	201.6	20.289	0.7877	0.2533	0.1848	1.371
1161	701	281.4	21.246	201.8	20.242	0.7879	0.2533	0.1848	1.371
1162	702	281.7	21.314	202.0	20.195	0.7881	0.2534	0.1848	1.371
1163	703	281.9	21.382	202.2	20.149	0.7883	0.2534	0.1848	1.371
1164	704	282.2	21.450	202.4	20.102	0.7886	0.2534	0.1849	1.371
1165	705	282.4	21.518	202.6	20.055	0.7888	0.2535	0.1849	1.371
1166	706	282.7	21.586	202.8	20.009	0.7890	0.2535	0.1849	1.371
1167	707	282.9	21.655	202.9	19.963	0.7892	0.2535	0.1850	1.371
1168	708	283.2	21.724	203.1	19.917	0.7894	0.2536	0.1850	1.371
1169	709	283.4	21.792	203.3	19.871	0.7896	0.2536	0.1850	1.370
1170	710	283.7	21.862	203.5	19.825	0.7899	0.2536	0.1851	1.370
1171	711	284.0	21.931	203.7	19.779	0.7901	0.2536	0.1851	1.370
1172	712	284.2	22.000	203.9	19.734	0.7903	0.2537	0.1851	1.370
1173	713	284.5	22.070	204.1	19.688	0.7905	0.2537	0.1852	1.370
1174	714	284.7	22.139	204.2	19.643	0.7907	0.2537	0.1852	1.370
1175	715	285.0	22.209	204.4	19.598	0.7909	0.2538	0.1852	1.370
1176	716	285.2	22.279	204.6	19.553	0.7912	0.2538	0.1853	1.370
1177	717	285.5	22.350	204.8	19.508	0.7914	0.2538	0.1853	1.370
1178	718	285.7	22.420	205.0	19.463	0.7916	0.2539	0.1853	1.370
1179	719	286.0	22.491	205.2	19.419	0.7918	0.2539	0.1854	1.370
1180	720	286.2	22.561	205.3	19.374	0.7920	0.2539	0.1854	1.370
1181	721	286.5	22.632	205.5	19.330	0.7922	0.2540	0.1854	1.370
1182	722	286.7	22.703	205.7	19.286	0.7924	0.2540	0.1854	1.370
1183	723	287.0	22.775	205.9	19.242	0.7927	0.2540	0.1855	1.370
1184	724	287.3	22.846	206.1	19.198	0.7929	0.2541	0.1855	1.370
1185	725	287.5	22.918	206.3	19.154	0.7931	0.2541	0.1855	1.369
1186	726	287.8	22.989	206.5	19.110	0.7933	0.2541	0.1856	1.369
1187	727	288.0	23.061	206.6	19.067	0.7935	0.2542	0.1856	1.369
1188	728	288.3	23.133	206.8	19.023	0.7937	0.2542	0.1856	1.369
1189	729	288.5	23.206	207.0	18.980	0.7939	0.2542	0.1857	1.369
1190	730	288.8	23.278	207.2	18.937	0.7942	0.2542	0.1857	1.369
1191	731	289.0	23.351	207.4	18.894	0.7944	0.2543	0.1857	1.369
1192	732	289.3	23.424	207.6	18.851	0.7946	0.2543	0.1858	1.369
1193	733	289.5	23.497	207.8	18.808	0.7948	0.2543	0.1858	1.369
1194	734	289.8	23.570	207.9	18.765	0.7950	0.2544	0.1858	1.369
1195	735	290.0	23.643	208.1	18.723	0.7952	0.2544	0.1859	1.369
1196	736	290.3	23.717	208.3	18.680	0.7954	0.2544	0.1859	1.369
1197	737	290.6	23.790	208.5	18.638	0.7957	0.2545	0.1859	1.369
1198	738	290.8	23.864	208.7	18.596	0.7959	0.2545	0.1860	1.369
1199	739	291.1	23.938	208.9	18.554	0.7961	0.2545	0.1860	1.369

Air Tables developed by K. W. Lindler - U. S. Naval Academy									
T	t	h	Pr	u	vr	φ	Cp	Cv	k
°R	°F	Btu/lbm		Btu/lbm		Btu/lbm°R	Btu/lbm°R	Btu/lbm°R	
1200	740	291.3	24.012	209.1	18.512	0.7963	0.2546	0.1860	1.369
1201	741	291.6	24.087	209.2	18.470	0.7965	0.2546	0.1860	1.368
1202	742	291.8	24.161	209.4	18.428	0.7967	0.2546	0.1861	1.368
1203	743	292.1	24.236	209.6	18.387	0.7969	0.2547	0.1861	1.368
1204	744	292.3	24.311	209.8	18.345	0.7971	0.2547	0.1861	1.368
1205	745	292.6	24.386	210.0	18.304	0.7973	0.2547	0.1862	1.368
1206	746	292.8	24.462	210.2	18.263	0.7976	0.2548	0.1862	1.368
1207	747	293.1	24.537	210.4	18.222	0.7978	0.2548	0.1862	1.368
1208	748	293.4	24.613	210.6	18.181	0.7980	0.2548	0.1863	1.368
1209	749	293.6	24.689	210.7	18.140	0.7982	0.2549	0.1863	1.368
1210	750	293.9	24.765	210.9	18.099	0.7984	0.2549	0.1863	1.368
1211	751	294.1	24.841	211.1	18.059	0.7986	0.2549	0.1864	1.368
1212	752	294.4	24.917	211.3	18.018	0.7988	0.2549	0.1864	1.368
1213	753	294.6	24.994	211.5	17.978	0.7990	0.2550	0.1864	1.368
1214	754	294.9	25.070	211.7	17.938	0.7992	0.2550	0.1865	1.368
1215	755	295.1	25.147	211.9	17.897	0.7995	0.2550	0.1865	1.368
1216	756	295.4	25.224	212.0	17.857	0.7997	0.2551	0.1865	1.368
1217	757	295.7	25.302	212.2	17.818	0.7999	0.2551	0.1866	1.367
1218	758	295.9	25.379	212.4	17.778	0.8001	0.2551	0.1866	1.367
1219	759	296.2	25.457	212.6	17.738	0.8003	0.2552	0.1866	1.367
1220	760	296.4	25.535	212.8	17.699	0.8005	0.2552	0.1867	1.367
1221	761	296.7	25.613	213.0	17.659	0.8007	0.2552	0.1867	1.367
1222	762	296.9	25.691	213.2	17.620	0.8009	0.2553	0.1867	1.367
1223	763	297.2	25.769	213.3	17.581	0.8011	0.2553	0.1867	1.367
1224	764	297.4	25.848	213.5	17.541	0.8013	0.2553	0.1868	1.367
1225	765	297.7	25.926	213.7	17.502	0.8015	0.2554	0.1868	1.367
1226	766	297.9	26.005	213.9	17.464	0.8018	0.2554	0.1868	1.367
1227	767	298.2	26.085	214.1	17.425	0.8020	0.2554	0.1869	1.367
1228	768	298.5	26.164	214.3	17.386	0.8022	0.2555	0.1869	1.367
1229	769	298.7	26.243	214.5	17.348	0.8024	0.2555	0.1869	1.367
1230	770	299.0	26.323	214.7	17.309	0.8026	0.2555	0.1870	1.367
1231	771	299.2	26.403	214.8	17.271	0.8028	0.2556	0.1870	1.367
1232	772	299.5	26.483	215.0	17.233	0.8030	0.2556	0.1870	1.367
1233	773	299.7	26.563	215.2	17.194	0.8032	0.2556	0.1871	1.366
1234	774	300.0	26.644	215.4	17.156	0.8034	0.2556	0.1871	1.366
1235	775	300.2	26.724	215.6	17.119	0.8036	0.2557	0.1871	1.366
1236	776	300.5	26.805	215.8	17.081	0.8038	0.2557	0.1872	1.366
1237	777	300.8	26.886	216.0	17.043	0.8040	0.2557	0.1872	1.366
1238	778	301.0	26.967	216.2	17.006	0.8042	0.2558	0.1872	1.366
1239	779	301.3	27.049	216.3	16.968	0.8044	0.2558	0.1873	1.366
1240	780	301.5	27.130	216.5	16.931	0.8047	0.2558	0.1873	1.366
1241	781	301.8	27.212	216.7	16.893	0.8049	0.2559	0.1873	1.366
1242	782	302.0	27.294	216.9	16.856	0.8051	0.2559	0.1874	1.366
1243	783	302.3	27.376	217.1	16.819	0.8053	0.2559	0.1874	1.366
1244	784	302.6	27.458	217.3	16.782	0.8055	0.2560	0.1874	1.366
1245	785	302.8	27.541	217.5	16.746	0.8057	0.2560	0.1875	1.366
1246	786	303.1	27.624	217.7	16.709	0.8059	0.2560	0.1875	1.366
1247	787	303.3	27.706	217.8	16.672	0.8061	0.2561	0.1875	1.366
1248	788	303.6	27.790	218.0	16.636	0.8063	0.2561	0.1875	1.366
1249	789	303.8	27.873	218.2	16.599	0.8065	0.2561	0.1876	1.365

Air Tables developed by K. W. Lindler - U. S. Naval Academy									
T	t	h	Pr	u	vr	φ	Cp	Cv	k
°R	°F	Btu/lbm		Btu/lbm		Btu/lbm°R	Btu/lbm°R	Btu/lbm°R	
1250	790	304.1	27.956	218.4	16.563	0.8067	0.2562	0.1876	1.365
1251	791	304.3	28.040	218.6	16.527	0.8069	0.2562	0.1876	1.365
1252	792	304.6	28.124	218.8	16.491	0.8071	0.2562	0.1877	1.365
1253	793	304.9	28.208	219.0	16.455	0.8073	0.2563	0.1877	1.365
1254	794	305.1	28.292	219.2	16.419	0.8075	0.2563	0.1877	1.365
1255	795	305.4	28.377	219.3	16.383	0.8077	0.2563	0.1878	1.365
1256	796	305.6	28.461	219.5	16.347	0.8079	0.2564	0.1878	1.365
1257	797	305.9	28.546	219.7	16.312	0.8081	0.2564	0.1878	1.365
1258	798	306.1	28.631	219.9	16.276	0.8083	0.2564	0.1879	1.365
1259	799	306.4	28.716	220.1	16.241	0.8086	0.2564	0.1879	1.365
1260	800	306.7	28.802	220.3	16.205	0.8088	0.2565	0.1879	1.365
1261	801	306.9	28.887	220.5	16.170	0.8090	0.2565	0.1880	1.365
1262	802	307.2	28.973	220.7	16.135	0.8092	0.2565	0.1880	1.365
1263	803	307.4	29.059	220.8	16.100	0.8094	0.2566	0.1880	1.365
1264	804	307.7	29.145	221.0	16.065	0.8096	0.2566	0.1881	1.365
1265	805	307.9	29.232	221.2	16.030	0.8098	0.2566	0.1881	1.364
1266	806	308.2	29.318	221.4	15.996	0.8100	0.2567	0.1881	1.364
1267	807	308.4	29.405	221.6	15.961	0.8102	0.2567	0.1882	1.364
1268	808	308.7	29.492	221.8	15.926	0.8104	0.2567	0.1882	1.364
1269	809	309.0	29.580	222.0	15.892	0.8106	0.2568	0.1882	1.364
1270	810	309.2	29.667	222.2	15.858	0.8108	0.2568	0.1883	1.364
1271	811	309.5	29.755	222.3	15.823	0.8110	0.2568	0.1883	1.364
1272	812	309.7	29.842	222.5	15.789	0.8112	0.2569	0.1883	1.364
1273	813	310.0	29.930	222.7	15.755	0.8114	0.2569	0.1883	1.364
1274	814	310.2	30.019	222.9	15.721	0.8116	0.2569	0.1884	1.364
1275	815	310.5	30.107	223.1	15.687	0.8118	0.2570	0.1884	1.364
1276	816	310.8	30.196	223.3	15.654	0.8120	0.2570	0.1884	1.364
1277	817	311.0	30.284	223.5	15.620	0.8122	0.2570	0.1885	1.364
1278	818	311.3	30.373	223.7	15.586	0.8124	0.2571	0.1885	1.364
1279	819	311.5	30.463	223.9	15.553	0.8126	0.2571	0.1885	1.364
1280	820	311.8	30.552	224.0	15.519	0.8128	0.2571	0.1886	1.364
1281	821	312.0	30.642	224.2	15.486	0.8130	0.2572	0.1886	1.363
1282	822	312.3	30.732	224.4	15.453	0.8132	0.2572	0.1886	1.363
1283	823	312.6	30.822	224.6	15.420	0.8134	0.2572	0.1887	1.363
1284	824	312.8	30.912	224.8	15.387	0.8136	0.2573	0.1887	1.363
1285	825	313.1	31.002	225.0	15.354	0.8138	0.2573	0.1887	1.363
1286	826	313.3	31.093	225.2	15.321	0.8140	0.2573	0.1888	1.363
1287	827	313.6	31.184	225.4	15.288	0.8142	0.2573	0.1888	1.363
1288	828	313.8	31.275	225.6	15.255	0.8144	0.2574	0.1888	1.363
1289	829	314.1	31.366	225.7	15.223	0.8146	0.2574	0.1889	1.363
1290	830	314.4	31.458	225.9	15.190	0.8148	0.2574	0.1889	1.363
1291	831	314.6	31.549	226.1	15.158	0.8150	0.2575	0.1889	1.363
1292	832	314.9	31.641	226.3	15.126	0.8152	0.2575	0.1890	1.363
1293	833	315.1	31.733	226.5	15.093	0.8154	0.2575	0.1890	1.363
1294	834	315.4	31.826	226.7	15.061	0.8156	0.2576	0.1890	1.363
1295	835	315.6	31.918	226.9	15.029	0.8158	0.2576	0.1891	1.363
1296	836	315.9	32.011	227.1	14.997	0.8160	0.2576	0.1891	1.363
1297	837	316.2	32.104	227.3	14.965	0.8162	0.2577	0.1891	1.362
1298	838	316.4	32.197	227.4	14.934	0.8164	0.2577	0.1892	1.362
1299	839	316.7	32.290	227.6	14.902	0.8166	0.2577	0.1892	1.362

Air Tables developed by K. W. Lindler - U. S. Naval Academy									
T	t	h	Pr	u	vr	φ	Cp	Cv	k
°R	°F	Btu/lbm		Btu/lbm		Btu/lbm°R	Btu/lbm°R	Btu/lbm°R	
1300	840	316.9	32.384	227.8	14.870	0.8168	0.2578	0.1892	1.362
1301	841	317.2	32.478	228.0	14.839	0.8170	0.2578	0.1892	1.362
1302	842	317.5	32.572	228.2	14.807	0.8172	0.2578	0.1893	1.362
1303	843	317.7	32.666	228.4	14.776	0.8174	0.2579	0.1893	1.362
1304	844	318.0	32.760	228.6	14.745	0.8176	0.2579	0.1893	1.362
1305	845	318.2	32.855	228.8	14.714	0.8178	0.2579	0.1894	1.362
1306	846	318.5	32.950	229.0	14.682	0.8180	0.2580	0.1894	1.362
1307	847	318.7	33.045	229.1	14.651	0.8182	0.2580	0.1894	1.362
1308	848	319.0	33.140	229.3	14.620	0.8184	0.2580	0.1895	1.362
1309	849	319.3	33.236	229.5	14.590	0.8186	0.2581	0.1895	1.362
1310	850	319.5	33.331	229.7	14.559	0.8188	0.2581	0.1895	1.362
1311	851	319.8	33.427	229.9	14.528	0.8190	0.2581	0.1896	1.362
1312	852	320.0	33.523	230.1	14.498	0.8192	0.2582	0.1896	1.362
1313	853	320.3	33.620	230.3	14.467	0.8194	0.2582	0.1896	1.361
1314	854	320.5	33.716	230.5	14.437	0.8196	0.2582	0.1897	1.361
1315	855	320.8	33.813	230.7	14.406	0.8197	0.2582	0.1897	1.361
1316	856	321.1	33.910	230.9	14.376	0.8199	0.2583	0.1897	1.361
1317	857	321.3	34.007	231.0	14.346	0.8201	0.2583	0.1898	1.361
1318	858	321.6	34.104	231.2	14.316	0.8203	0.2583	0.1898	1.361
1319	859	321.8	34.202	231.4	14.286	0.8205	0.2584	0.1898	1.361
1320	860	322.1	34.300	231.6	14.256	0.8207	0.2584	0.1899	1.361
1321	861	322.4	34.398	231.8	14.226	0.8209	0.2584	0.1899	1.361
1322	862	322.6	34.496	232.0	14.196	0.8211	0.2585	0.1899	1.361
1323	863	322.9	34.595	232.2	14.166	0.8213	0.2585	0.1900	1.361
1324	864	323.1	34.693	232.4	14.137	0.8215	0.2585	0.1900	1.361
1325	865	323.4	34.792	232.6	14.107	0.8217	0.2586	0.1900	1.361
1326	866	323.6	34.892	232.8	14.078	0.8219	0.2586	0.1901	1.361
1327	867	323.9	34.991	232.9	14.048	0.8221	0.2586	0.1901	1.361
1328	868	324.2	35.091	233.1	14.019	0.8223	0.2587	0.1901	1.361
1329	869	324.4	35.190	233.3	13.990	0.8225	0.2587	0.1901	1.361
1330	870	324.7	35.290	233.5	13.961	0.8227	0.2587	0.1902	1.360
1331	871	324.9	35.391	233.7	13.931	0.8229	0.2588	0.1902	1.360
1332	872	325.2	35.491	233.9	13.902	0.8231	0.2588	0.1902	1.360
1333	873	325.5	35.592	234.1	13.873	0.8233	0.2588	0.1903	1.360
1334	874	325.7	35.693	234.3	13.845	0.8235	0.2589	0.1903	1.360
1335	875	326.0	35.794	234.5	13.816	0.8237	0.2589	0.1903	1.360
1336	876	326.2	35.895	234.7	13.787	0.8238	0.2589	0.1904	1.360
1337	877	326.5	35.997	234.8	13.759	0.8240	0.2590	0.1904	1.360
1338	878	326.8	36.099	235.0	13.730	0.8242	0.2590	0.1904	1.360
1339	879	327.0	36.201	235.2	13.702	0.8244	0.2590	0.1905	1.360
1340	880	327.3	36.303	235.4	13.673	0.8246	0.2591	0.1905	1.360
1341	881	327.5	36.406	235.6	13.645	0.8248	0.2591	0.1905	1.360
1342	882	327.8	36.508	235.8	13.617	0.8250	0.2591	0.1906	1.360
1343	883	328.1	36.611	236.0	13.588	0.8252	0.2591	0.1906	1.360
1344	884	328.3	36.714	236.2	13.560	0.8254	0.2592	0.1906	1.360
1345	885	328.6	36.818	236.4	13.532	0.8256	0.2592	0.1907	1.360
1346	886	328.8	36.921	236.6	13.504	0.8258	0.2592	0.1907	1.359
1347	887	329.1	37.025	236.8	13.476	0.8260	0.2593	0.1907	1.359
1348	888	329.3	37.129	236.9	13.449	0.8262	0.2593	0.1908	1.359
1349	889	329.6	37.234	237.1	13.421	0.8264	0.2593	0.1908	1.359

18

Air Tables developed by K. W. Lindler - U. S. Naval Academy									
T	t	h	Pr	u	vr	φ	Cp	Cv	k
°R	°F	Btu/lbm		Btu/lbm		Btu/lbm°R	Btu/lbm°R	Btu/lbm°R	
1350	890	329.9	37.338	237.3	13.393	0.8265	0.2594	0.1908	1.359
1351	891	330.1	37.443	237.5	13.366	0.8267	0.2594	0.1909	1.359
1352	892	330.4	37.548	237.7	13.338	0.8269	0.2594	0.1909	1.359
1353	893	330.6	37.653	237.9	13.311	0.8271	0.2595	0.1909	1.359
1354	894	330.9	37.759	238.1	13.283	0.8273	0.2595	0.1910	1.359
1355	895	331.2	37.864	238.3	13.256	0.8275	0.2595	0.1910	1.359
1356	896	331.4	37.970	238.5	13.229	0.8277	0.2596	0.1910	1.359
1357	897	331.7	38.076	238.7	13.202	0.8279	0.2596	0.1910	1.359
1358	898	331.9	38.183	238.9	13.175	0.8281	0.2596	0.1911	1.359
1359	899	332.2	38.289	239.0	13.148	0.8283	0.2597	0.1911	1.359
1360	900	332.5	38.396	239.2	13.121	0.8285	0.2597	0.1911	1.359
1361	901	332.7	38.503	239.4	13.094	0.8287	0.2597	0.1912	1.359
1362	902	333.0	38.611	239.6	13.067	0.8288	0.2598	0.1912	1.359
1363	903	333.2	38.718	239.8	13.040	0.8290	0.2598	0.1912	1.358
1364	904	333.5	38.826	240.0	13.014	0.8292	0.2598	0.1913	1.358
1365	905	333.8	38.934	240.2	12.987	0.8294	0.2599	0.1913	1.358
1366	906	334.0	39.042	240.4	12.961	0.8296	0.2599	0.1913	1.358
1367	907	334.3	39.151	240.6	12.934	0.8298	0.2599	0.1914	1.358
1368	908	334.5	39.259	240.8	12.908	0.8300	0.2599	0.1914	1.358
1369	909	334.8	39.368	241.0	12.881	0.8302	0.2600	0.1914	1.358
1370	910	335.1	39.477	241.1	12.855	0.8304	0.2600	0.1915	1.358
1371	911	335.3	39.587	241.3	12.829	0.8306	0.2600	0.1915	1.358
1372	912	335.6	39.696	241.5	12.803	0.8307	0.2601	0.1915	1.358
1373	913	335.8	39.806	241.7	12.777	0.8309	0.2601	0.1916	1.358
1374	914	336.1	39.917	241.9	12.751	0.8311	0.2601	0.1916	1.358
1375	915	336.4	40.027	242.1	12.725	0.8313	0.2602	0.1916	1.358
1376	916	336.6	40.137	242.3	12.699	0.8315	0.2602	0.1917	1.358
1377	917	336.9	40.248	242.5	12.673	0.8317	0.2602	0.1917	1.358
1378	918	337.1	40.359	242.7	12.648	0.8319	0.2603	0.1917	1.358
1379	919	337.4	40.471	242.9	12.622	0.8321	0.2603	0.1918	1.357
1380	920	337.7	40.582	243.1	12.596	0.8323	0.2603	0.1918	1.357
1381	921	337.9	40.694	243.3	12.571	0.8324	0.2604	0.1918	1.357
1382	922	338.2	40.806	243.4	12.546	0.8326	0.2604	0.1918	1.357
1383	923	338.4	40.918	243.6	12.520	0.8328	0.2604	0.1919	1.357
1384	924	338.7	41.031	243.8	12.495	0.8330	0.2605	0.1919	1.357
1385	925	339.0	41.144	244.0	12.470	0.8332	0.2605	0.1919	1.357
1386	926	339.2	41.257	244.2	12.444	0.8334	0.2605	0.1920	1.357
1387	927	339.5	41.370	244.4	12.419	0.8336	0.2606	0.1920	1.357
1388	928	339.7	41.483	244.6	12.394	0.8338	0.2606	0.1920	1.357
1389	929	340.0	41.597	244.8	12.369	0.8340	0.2606	0.1921	1.357
1390	930	340.3	41.711	245.0	12.344	0.8341	0.2607	0.1921	1.357
1391	931	340.5	41.825	245.2	12.319	0.8343	0.2607	0.1921	1.357
1392	932	340.8	41.940	245.4	12.295	0.8345	0.2607	0.1922	1.357
1393	933	341.0	42.055	245.6	12.270	0.8347	0.2607	0.1922	1.357
1394	934	341.3	42.170	245.8	12.245	0.8349	0.2608	0.1922	1.357
1395	935	341.6	42.285	245.9	12.221	0.8351	0.2608	0.1923	1.357
1396	936	341.8	42.400	246.1	12.196	0.8353	0.2608	0.1923	1.356
1397	937	342.1	42.516	246.3	12.172	0.8354	0.2609	0.1923	1.356
1398	938	342.4	42.632	246.5	12.147	0.8356	0.2609	0.1924	1.356
1399	939	342.6	42.748	246.7	12.123	0.8358	0.2609	0.1924	1.356

19

T	t	h	Pr	u	vr	φ	Cp	Cv	k
°R	°F	Btu/lbm		Btu/lbm		Btu/lbm°R	Btu/lbm°R	Btu/lbm°R	
1400	940	342.9	42.865	246.9	12.099	0.8360	0.2610	0.1924	1.356
1401	941	343.1	42.981	247.1	12.074	0.8362	0.2610	0.1925	1.356
1402	942	343.4	43.098	247.3	12.050	0.8364	0.2610	0.1925	1.356
1403	943	343.7	43.215	247.5	12.026	0.8366	0.2611	0.1925	1.356
1404	944	343.9	43.333	247.7	12.002	0.8368	0.2611	0.1925	1.356
1405	945	344.2	43.450	247.9	11.978	0.8369	0.2611	0.1926	1.356
1406	946	344.4	43.568	248.1	11.954	0.8371	0.2612	0.1926	1.356
1407	947	344.7	43.687	248.3	11.930	0.8373	0.2612	0.1926	1.356
1408	948	345.0	43.805	248.4	11.907	0.8375	0.2612	0.1927	1.356
1409	949	345.2	43.924	248.6	11.883	0.8377	0.2613	0.1927	1.356
1410	950	345.5	44.043	248.8	11.859	0.8379	0.2613	0.1927	1.356
1411	951	345.7	44.162	249.0	11.835	0.8381	0.2613	0.1928	1.356
1412	952	346.0	44.281	249.2	11.812	0.8382	0.2614	0.1928	1.356
1413	953	346.3	44.401	249.4	11.788	0.8384	0.2614	0.1928	1.355
1414	954	346.5	44.521	249.6	11.765	0.8386	0.2614	0.1929	1.355
1415	955	346.8	44.641	249.8	11.742	0.8388	0.2614	0.1929	1.355
1416	956	347.1	44.762	250.0	11.718	0.8390	0.2615	0.1929	1.355
1417	957	347.3	44.882	250.2	11.695	0.8392	0.2615	0.1930	1.355
1418	958	347.6	45.003	250.4	11.672	0.8393	0.2615	0.1930	1.355
1419	959	347.8	45.124	250.6	11.649	0.8395	0.2616	0.1930	1.355
1420	960	348.1	45.246	250.8	11.626	0.8397	0.2616	0.1931	1.355
1421	961	348.4	45.368	251.0	11.603	0.8399	0.2616	0.1931	1.355
1422	962	348.6	45.490	251.1	11.580	0.8401	0.2617	0.1931	1.355
1423	963	348.9	45.612	251.3	11.557	0.8403	0.2617	0.1932	1.355
1424	964	349.1	45.734	251.5	11.534	0.8405	0.2617	0.1932	1.355
1425	965	349.4	45.857	251.7	11.511	0.8406	0.2618	0.1932	1.355
1426	966	349.7	45.980	251.9	11.488	0.8408	0.2618	0.1932	1.355
1427	967	349.9	46.103	252.1	11.466	0.8410	0.2618	0.1933	1.355
1428	968	350.2	46.227	252.3	11.443	0.8412	0.2619	0.1933	1.355
1429	969	350.5	46.351	252.5	11.420	0.8414	0.2619	0.1933	1.355
1430	970	350.7	46.475	252.7	11.398	0.8416	0.2619	0.1934	1.354
1431	971	351.0	46.599	252.9	11.375	0.8417	0.2620	0.1934	1.354
1432	972	351.2	46.724	253.1	11.353	0.8419	0.2620	0.1934	1.354
1433	973	351.5	46.848	253.3	11.331	0.8421	0.2620	0.1935	1.354
1434	974	351.8	46.974	253.5	11.308	0.8423	0.2620	0.1935	1.354
1435	975	352.0	47.099	253.7	11.286	0.8425	0.2621	0.1935	1.354
1436	976	352.3	47.225	253.9	11.264	0.8426	0.2621	0.1936	1.354
1437	977	352.6	47.350	254.0	11.242	0.8428	0.2621	0.1936	1.354
1438	978	352.8	47.477	254.2	11.220	0.8430	0.2622	0.1936	1.354
1439	979	353.1	47.603	254.4	11.198	0.8432	0.2622	0.1937	1.354
1440	980	353.3	47.730	254.6	11.176	0.8434	0.2622	0.1937	1.354
1441	981	353.6	47.857	254.8	11.154	0.8436	0.2623	0.1937	1.354
1442	982	353.9	47.984	255.0	11.132	0.8437	0.2623	0.1938	1.354
1443	983	354.1	48.111	255.2	11.110	0.8439	0.2623	0.1938	1.354
1444	984	354.4	48.239	255.4	11.089	0.8441	0.2624	0.1938	1.354
1445	985	354.6	48.367	255.6	11.067	0.8443	0.2624	0.1938	1.354
1446	986	354.9	48.495	255.8	11.045	0.8445	0.2624	0.1939	1.354
1447	987	355.2	48.624	256.0	11.024	0.8447	0.2625	0.1939	1.354
1448	988	355.4	48.753	256.2	11.002	0.8448	0.2625	0.1939	1.353
1449	989	355.7	48.882	256.4	10.981	0.8450	0.2625	0.1940	1.353

Air Tables developed by K. W. Lindler - U. S. Naval Academy									
T	t	h	Pr	u	vr	φ	Cp	Cv	k
°R	°F	Btu/lbm		Btu/lbm		Btu/lbm°R	Btu/lbm°R	Btu/lbm°R	
1450	990	356.0	49.011	256.6	10.959	0.8452	0.2626	0.1940	1.353
1451	991	356.2	49.140	256.8	10.938	0.8454	0.2626	0.1940	1.353
1452	992	356.5	49.270	257.0	10.917	0.8456	0.2626	0.1941	1.353
1453	993	356.7	49.400	257.1	10.895	0.8457	0.2626	0.1941	1.353
1454	994	357.0	49.531	257.3	10.874	0.8459	0.2627	0.1941	1.353
1455	995	357.3	49.662	257.5	10.853	0.8461	0.2627	0.1942	1.353
1456	996	357.5	49.793	257.7	10.832	0.8463	0.2627	0.1942	1.353
1457	997	357.8	49.924	257.9	10.811	0.8465	0.2628	0.1942	1.353
1458	998	358.1	50.055	258.1	10.790	0.8466	0.2628	0.1943	1.353
1459	999	358.3	50.187	258.3	10.769	0.8468	0.2628	0.1943	1.353
1460	1000	358.6	50.319	258.5	10.748	0.8470	0.2629	0.1943	1.353
1461	1001	358.9	50.451	258.7	10.727	0.8472	0.2629	0.1943	1.353
1462	1002	359.1	50.584	258.9	10.706	0.8474	0.2629	0.1944	1.353
1463	1003	359.4	50.717	259.1	10.686	0.8475	0.2630	0.1944	1.353
1464	1004	359.6	50.850	259.3	10.665	0.8477	0.2630	0.1944	1.353
1465	1005	359.9	50.983	259.5	10.644	0.8479	0.2630	0.1945	1.352
1466	1006	360.2	51.117	259.7	10.624	0.8481	0.2631	0.1945	1.352
1467	1007	360.4	51.251	259.9	10.603	0.8483	0.2631	0.1945	1.352
1468	1008	360.7	51.385	260.1	10.583	0.8484	0.2631	0.1946	1.352
1469	1009	361.0	51.520	260.3	10.562	0.8486	0.2631	0.1946	1.352
1470	1010	361.2	51.654	260.5	10.542	0.8488	0.2632	0.1946	1.352
1471	1011	361.5	51.789	260.6	10.522	0.8490	0.2632	0.1947	1.352
1472	1012	361.7	51.925	260.8	10.501	0.8492	0.2632	0.1947	1.352
1473	1013	362.0	52.060	261.0	10.481	0.8493	0.2633	0.1947	1.352
1474	1014	362.3	52.196	261.2	10.461	0.8495	0.2633	0.1948	1.352
1475	1015	362.5	52.332	261.4	10.441	0.8497	0.2633	0.1948	1.352
1476	1016	362.8	52.469	261.6	10.421	0.8499	0.2634	0.1948	1.352
1477	1017	363.1	52.605	261.8	10.401	0.8500	0.2634	0.1948	1.352
1478	1018	363.3	52.742	262.0	10.381	0.8502	0.2634	0.1949	1.352
1479	1019	363.6	52.880	262.2	10.361	0.8504	0.2635	0.1949	1.352
1480	1020	363.9	53.017	262.4	10.341	0.8506	0.2635	0.1949	1.352
1481	1021	364.1	53.155	262.6	10.321	0.8508	0.2635	0.1950	1.352
1482	1022	364.4	53.293	262.8	10.301	0.8509	0.2636	0.1950	1.352
1483	1023	364.6	53.432	263.0	10.281	0.8511	0.2636	0.1950	1.351
1484	1024	364.9	53.570	263.2	10.262	0.8513	0.2636	0.1951	1.351
1485	1025	365.2	53.709	263.4	10.242	0.8515	0.2636	0.1951	1.351
1486	1026	365.4	53.849	263.6	10.222	0.8516	0.2637	0.1951	1.351
1487	1027	365.7	53.988	263.8	10.203	0.8518	0.2637	0.1952	1.351
1488	1028	366.0	54.128	264.0	10.183	0.8520	0.2637	0.1952	1.351
1489	1029	366.2	54.268	264.2	10.164	0.8522	0.2638	0.1952	1.351
1490	1030	366.5	54.408	264.4	10.144	0.8524	0.2638	0.1952	1.351
1491	1031	366.8	54.549	264.5	10.125	0.8525	0.2638	0.1953	1.351
1492	1032	367.0	54.690	264.7	10.106	0.8527	0.2639	0.1953	1.351
1493	1033	367.3	54.831	264.9	10.086	0.8529	0.2639	0.1953	1.351
1494	1034	367.5	54.973	265.1	10.067	0.8531	0.2639	0.1954	1.351
1495	1035	367.8	55.115	265.3	10.048	0.8532	0.2640	0.1954	1.351
1496	1036	368.1	55.257	265.5	10.029	0.8534	0.2640	0.1954	1.351
1497	1037	368.3	55.399	265.7	10.010	0.8536	0.2640	0.1955	1.351
1498	1038	368.6	55.542	265.9	9.991	0.8538	0.2640	0.1955	1.351
1499	1039	368.9	55.685	266.1	9.972	0.8539	0.2641	0.1955	1.351

Air Tables developed by K. W. Lindler - U. S. Naval Academy									
T	t	h	Pr	u	vr	φ	Cp	Cv	k
°R	°F	Btu/lbm		Btu/lbm		Btu/lbm°R	Btu/lbm°R	Btu/lbm°R	
1500	1040	369.1	55.828	266.3	9.953	0.8541	0.2641	0.1956	1.351
1501	1041	369.4	55.971	266.5	9.934	0.8543	0.2641	0.1956	1.350
1502	1042	369.7	56.115	266.7	9.915	0.8545	0.2642	0.1956	1.350
1503	1043	369.9	56.259	266.9	9.896	0.8546	0.2642	0.1957	1.350
1504	1044	370.2	56.404	267.1	9.877	0.8548	0.2642	0.1957	1.350
1505	1045	370.4	56.549	267.3	9.859	0.8550	0.2643	0.1957	1.350
1506	1046	370.7	56.694	267.5	9.840	0.8552	0.2643	0.1957	1.350
1507	1047	371.0	56.839	267.7	9.821	0.8554	0.2643	0.1958	1.350
1508	1048	371.2	56.984	267.9	9.803	0.8555	0.2644	0.1958	1.350
1509	1049	371.5	57.130	268.1	9.784	0.8557	0.2644	0.1958	1.350
1510	1050	371.8	57.276	268.3	9.766	0.8559	0.2644	0.1959	1.350
1511	1051	372.0	57.423	268.5	9.747	0.8561	0.2644	0.1959	1.350
1512	1052	372.3	57.570	268.7	9.729	0.8562	0.2645	0.1959	1.350
1513	1053	372.6	57.717	268.8	9.711	0.8564	0.2645	0.1960	1.350
1514	1054	372.8	57.864	269.0	9.692	0.8566	0.2645	0.1960	1.350
1515	1055	373.1	58.012	269.2	9.674	0.8568	0.2646	0.1960	1.350
1516	1056	373.4	58.160	269.4	9.656	0.8569	0.2646	0.1960	1.350
1517	1057	373.6	58.308	269.6	9.638	0.8571	0.2646	0.1961	1.350
1518	1058	373.9	58.456	269.8	9.619	0.8573	0.2647	0.1961	1.350
1519	1059	374.2	58.605	270.0	9.601	0.8574	0.2647	0.1961	1.349
1520	1060	374.4	58.754	270.2	9.583	0.8576	0.2647	0.1962	1.349
1521	1061	374.7	58.904	270.4	9.565	0.8578	0.2648	0.1962	1.349
1522	1062	374.9	59.053	270.6	9.547	0.8580	0.2648	0.1962	1.349
1523	1063	375.2	59.203	270.8	9.529	0.8581	0.2648	0.1963	1.349
1524	1064	375.5	59.354	271.0	9.511	0.8583	0.2648	0.1963	1.349
1525	1065	375.7	59.504	271.2	9.494	0.8585	0.2649	0.1963	1.349
1526	1066	376.0	59.655	271.4	9.476	0.8587	0.2649	0.1964	1.349
1527	1067	376.3	59.807	271.6	9.458	0.8588	0.2649	0.1964	1.349
1528	1068	376.5	59.958	271.8	9.440	0.8590	0.2650	0.1964	1.349
1529	1069	376.8	60.110	272.0	9.423	0.8592	0.2650	0.1964	1.349
1530	1070	377.1	60.262	272.2	9.405	0.8594	0.2650	0.1965	1.349
1531	1071	377.3	60.414	272.4	9.387	0.8595	0.2651	0.1965	1.349
1532	1072	377.6	60.567	272.6	9.370	0.8597	0.2651	0.1965	1.349
1533	1073	377.9	60.720	272.8	9.352	0.8599	0.2651	0.1966	1.349
1534	1074	378.1	60.874	273.0	9.335	0.8601	0.2651	0.1966	1.349
1535	1075	378.4	61.027	273.2	9.317	0.8602	0.2652	0.1966	1.349
1536	1076	378.7	61.181	273.4	9.300	0.8604	0.2652	0.1967	1.349
1537	1077	378.9	61.335	273.6	9.283	0.8606	0.2652	0.1967	1.349
1538	1078	379.2	61.490	273.8	9.265	0.8607	0.2653	0.1967	1.348
1539	1079	379.5	61.645	274.0	9.248	0.8609	0.2653	0.1967	1.348
1540	1080	379.7	61.800	274.2	9.231	0.8611	0.2653	0.1968	1.348
1541	1081	380.0	61.955	274.3	9.214	0.8613	0.2654	0.1968	1.348
1542	1082	380.2	62.111	274.5	9.196	0.8614	0.2654	0.1968	1.348
1543	1083	380.5	62.267	274.7	9.179	0.8616	0.2654	0.1969	1.348
1544	1084	380.8	62.424	274.9	9.162	0.8618	0.2654	0.1969	1.348
1545	1085	381.0	62.580	275.1	9.145	0.8619	0.2655	0.1969	1.348
1546	1086	381.3	62.738	275.3	9.128	0.8621	0.2655	0.1970	1.348
1547	1087	381.6	62.895	275.5	9.111	0.8623	0.2655	0.1970	1.348
1548	1088	381.8	63.052	275.7	9.094	0.8625	0.2656	0.1970	1.348
1549	1089	382.1	63.210	275.9	9.078	0.8626	0.2656	0.1970	1.348

Air Tables developed by K. W. Lindler - U. S. Naval Academy									
T	t	h	Pr	u	vr	φ	Cp	Cv	k
°R	°F	Btu/lbm		Btu/lbm		Btu/lbm°R	Btu/lbm°R	Btu/lbm°R	
1550	1090	382.4	63.369	276.1	9.061	0.8628	0.2656	0.1971	1.348
1551	1091	382.6	63.527	276.3	9.044	0.8630	0.2657	0.1971	1.348
1552	1092	382.9	63.686	276.5	9.027	0.8631	0.2657	0.1971	1.348
1553	1093	383.2	63.845	276.7	9.010	0.8633	0.2657	0.1972	1.348
1554	1094	383.4	64.005	276.9	8.994	0.8635	0.2657	0.1972	1.348
1555	1095	383.7	64.165	277.1	8.977	0.8637	0.2658	0.1972	1.348
1556	1096	384.0	64.325	277.3	8.961	0.8638	0.2658	0.1973	1.348
1557	1097	384.2	64.485	277.5	8.944	0.8640	0.2658	0.1973	1.347
1558	1098	384.5	64.646	277.7	8.928	0.8642	0.2659	0.1973	1.347
1559	1099	384.8	64.807	277.9	8.911	0.8643	0.2659	0.1973	1.347
1560	1100	385.0	64.969	278.1	8.895	0.8645	0.2659	0.1974	1.347
1561	1101	385.3	65.130	278.3	8.878	0.8647	0.2660	0.1974	1.347
1562	1102	385.6	65.292	278.5	8.862	0.8649	0.2660	0.1974	1.347
1563	1103	385.8	65.455	278.7	8.846	0.8650	0.2660	0.1975	1.347
1564	1104	386.1	65.617	278.9	8.829	0.8652	0.2660	0.1975	1.347
1565	1105	386.4	65.780	279.1	8.813	0.8654	0.2661	0.1975	1.347
1566	1106	386.6	65.944	279.3	8.797	0.8655	0.2661	0.1976	1.347
1567	1107	386.9	66.107	279.5	8.781	0.8657	0.2661	0.1976	1.347
1568	1108	387.2	66.271	279.7	8.764	0.8659	0.2662	0.1976	1.347
1569	1109	387.4	66.436	279.9	8.748	0.8660	0.2662	0.1976	1.347
1570	1110	387.7	66.600	280.1	8.732	0.8662	0.2662	0.1977	1.347
1571	1111	388.0	66.765	280.3	8.716	0.8664	0.2663	0.1977	1.347
1572	1112	388.2	66.930	280.5	8.700	0.8666	0.2663	0.1977	1.347
1573	1113	388.5	67.096	280.7	8.684	0.8667	0.2663	0.1978	1.347
1574	1114	388.8	67.262	280.9	8.668	0.8669	0.2663	0.1978	1.347
1575	1115	389.0	67.428	281.1	8.653	0.8671	0.2664	0.1978	1.347
1576	1116	389.3	67.594	281.3	8.637	0.8672	0.2664	0.1979	1.346
1577	1117	389.6	67.761	281.5	8.621	0.8674	0.2664	0.1979	1.346
1578	1118	389.8	67.928	281.7	8.605	0.8676	0.2665	0.1979	1.346
1579	1119	390.1	68.096	281.8	8.589	0.8677	0.2665	0.1979	1.346
1580	1120	390.4	68.264	282.0	8.574	0.8679	0.2665	0.1980	1.346
1581	1121	390.6	68.432	282.2	8.558	0.8681	0.2665	0.1980	1.346
1582	1122	390.9	68.600	282.4	8.543	0.8682	0.2666	0.1980	1.346
1583	1123	391.2	68.769	282.6	8.527	0.8684	0.2666	0.1981	1.346
1584	1124	391.4	68.938	282.8	8.511	0.8686	0.2666	0.1981	1.346
1585	1125	391.7	69.108	283.0	8.496	0.8687	0.2667	0.1981	1.346
1586	1126	392.0	69.277	283.2	8.480	0.8689	0.2667	0.1981	1.346
1587	1127	392.2	69.448	283.4	8.465	0.8691	0.2667	0.1982	1.346
1588	1128	392.5	69.618	283.6	8.450	0.8693	0.2668	0.1982	1.346
1589	1129	392.8	69.789	283.8	8.434	0.8694	0.2668	0.1982	1.346
1590	1130	393.0	69.960	284.0	8.419	0.8696	0.2668	0.1983	1.346
1591	1131	393.3	70.131	284.2	8.404	0.8698	0.2668	0.1983	1.346
1592	1132	393.6	70.303	284.4	8.388	0.8699	0.2669	0.1983	1.346
1593	1133	393.8	70.475	284.6	8.373	0.8701	0.2669	0.1983	1.346
1594	1134	394.1	70.648	284.8	8.358	0.8703	0.2669	0.1984	1.346
1595	1135	394.4	70.820	285.0	8.343	0.8704	0.2670	0.1984	1.345
1596	1136	394.6	70.993	285.2	8.328	0.8706	0.2670	0.1984	1.345
1597	1137	394.9	71.167	285.4	8.313	0.8708	0.2670	0.1985	1.345
1598	1138	395.2	71.341	285.6	8.297	0.8709	0.2670	0.1985	1.345
1599	1139	395.4	71.515	285.8	8.282	0.8711	0.2671	0.1985	1.345

Air Tables developed by K. W. Lindler - U. S. Naval Academy									
T	t	h	Pr	u	vr	φ	Cp	Cv	k
°R	°F	Btu/lbm		Btu/lbm		Btu/lbm°R	Btu/lbm°R	Btu/lbm°R	
1600	1140	395.7	71.689	286.0	8.267	0.8713	0.2671	0.1986	1.345
1601	1141	396.0	71.864	286.2	8.253	0.8714	0.2671	0.1986	1.345
1602	1142	396.2	72.039	286.4	8.238	0.8716	0.2672	0.1986	1.345
1603	1143	396.5	72.214	286.6	8.223	0.8718	0.2672	0.1986	1.345
1604	1144	396.8	72.390	286.8	8.208	0.8719	0.2672	0.1987	1.345
1605	1145	397.0	72.566	287.0	8.193	0.8721	0.2672	0.1987	1.345
1606	1146	397.3	72.743	287.2	8.178	0.8723	0.2673	0.1987	1.345
1607	1147	397.6	72.919	287.4	8.164	0.8724	0.2673	0.1988	1.345
1608	1148	397.8	73.096	287.6	8.149	0.8726	0.2673	0.1988	1.345
1609	1149	398.1	73.274	287.8	8.134	0.8728	0.2674	0.1988	1.345
1610	1150	398.4	73.452	288.0	8.120	0.8729	0.2674	0.1988	1.345
1611	1151	398.6	73.630	288.2	8.105	0.8731	0.2674	0.1989	1.345
1612	1152	398.9	73.808	288.4	8.090	0.8733	0.2674	0.1989	1.345
1613	1153	399.2	73.987	288.6	8.076	0.8734	0.2675	0.1989	1.345
1614	1154	399.4	74.166	288.8	8.061	0.8736	0.2675	0.1990	1.345
1615	1155	399.7	74.346	289.0	8.047	0.8738	0.2675	0.1990	1.344
1616	1156	400.0	74.526	289.2	8.032	0.8739	0.2676	0.1990	1.344
1617	1157	400.2	74.706	289.4	8.018	0.8741	0.2676	0.1990	1.344
1618	1158	400.5	74.886	289.6	8.004	0.8743	0.2676	0.1991	1.344
1619	1159	400.8	75.067	289.8	7.989	0.8744	0.2676	0.1991	1.344
1620	1160	401.0	75.248	290.0	7.975	0.8746	0.2677	0.1991	1.344
1621	1161	401.3	75.430	290.2	7.961	0.8748	0.2677	0.1992	1.344
1622	1162	401.6	75.612	290.4	7.946	0.8749	0.2677	0.1992	1.344
1623	1163	401.8	75.794	290.6	7.932	0.8751	0.2678	0.1992	1.344
1624	1164	402.1	75.977	290.8	7.918	0.8752	0.2678	0.1992	1.344
1625	1165	402.4	76.160	291.0	7.904	0.8754	0.2678	0.1993	1.344
1626	1166	402.6	76.343	291.2	7.890	0.8756	0.2678	0.1993	1.344
1627	1167	402.9	76.527	291.4	7.876	0.8757	0.2679	0.1993	1.344
1628	1168	403.2	76.710	291.6	7.862	0.8759	0.2679	0.1994	1.344
1629	1169	403.4	76.895	291.8	7.847	0.8761	0.2679	0.1994	1.344
1630	1170	403.7	77.079	292.0	7.833	0.8762	0.2680	0.1994	1.344
1631	1171	404.0	77.265	292.2	7.820	0.8764	0.2680	0.1994	1.344
1632	1172	404.3	77.450	292.4	7.806	0.8766	0.2680	0.1995	1.344
1633	1173	404.5	77.636	292.6	7.792	0.8767	0.2680	0.1995	1.344
1634	1174	404.8	77.822	292.8	7.778	0.8769	0.2681	0.1995	1.344
1635	1175	405.1	78.008	293.0	7.764	0.8771	0.2681	0.1996	1.344
1636	1176	405.3	78.195	293.2	7.750	0.8772	0.2681	0.1996	1.343
1637	1177	405.6	78.382	293.4	7.736	0.8774	0.2682	0.1996	1.343
1638	1178	405.9	78.570	293.6	7.723	0.8775	0.2682	0.1996	1.343
1639	1179	406.1	78.757	293.8	7.709	0.8777	0.2682	0.1997	1.343
1640	1180	406.4	78.946	294.0	7.695	0.8779	0.2682	0.1997	1.343
1641	1181	406.7	79.134	294.2	7.682	0.8780	0.2683	0.1997	1.343
1642	1182	406.9	79.323	294.4	7.668	0.8782	0.2683	0.1998	1.343
1643	1183	407.2	79.512	294.6	7.654	0.8784	0.2683	0.1998	1.343
1644	1184	407.5	79.702	294.8	7.641	0.8785	0.2684	0.1998	1.343
1645	1185	407.7	79.892	295.0	7.627	0.8787	0.2684	0.1998	1.343
1646	1186	408.0	80.082	295.2	7.614	0.8789	0.2684	0.1999	1.343
1647	1187	408.3	80.273	295.4	7.600	0.8790	0.2684	0.1999	1.343
1648	1188	408.5	80.464	295.6	7.587	0.8792	0.2685	0.1999	1.343
1649	1189	408.8	80.655	295.8	7.573	0.8793	0.2685	0.1999	1.343

24

Air Tables developed by K. W. Lindler - U. S. Naval Academy									
T	t	h	Pr	u	vr	φ	Cp	Cv	k
°R	°F	Btu/lbm		Btu/lbm		Btu/lbm°R	Btu/lbm°R	Btu/lbm°R	
1650	1190	409.1	80.847	296.0	7.560	0.8795	0.2685	0.2000	1.343
1651	1191	409.3	81.039	296.2	7.547	0.8797	0.2686	0.2000	1.343
1652	1192	409.6	81.232	296.4	7.533	0.8798	0.2686	0.2000	1.343
1653	1193	409.9	81.424	296.6	7.520	0.8800	0.2686	0.2001	1.343
1654	1194	410.2	81.618	296.8	7.507	0.8802	0.2686	0.2001	1.343
1655	1195	410.4	81.811	297.0	7.494	0.8803	0.2687	0.2001	1.343
1656	1196	410.7	82.005	297.2	7.480	0.8805	0.2687	0.2001	1.343
1657	1197	411.0	82.199	297.4	7.467	0.8806	0.2687	0.2002	1.342
1658	1198	411.2	82.394	297.6	7.454	0.8808	0.2687	0.2002	1.342
1659	1199	411.5	82.589	297.8	7.441	0.8810	0.2688	0.2002	1.342
1660	1200	411.8	82.784	298.0	7.428	0.8811	0.2688	0.2003	1.342
1661	1201	412.0	82.980	298.2	7.415	0.8813	0.2688	0.2003	1.342
1662	1202	412.3	83.176	298.4	7.402	0.8815	0.2689	0.2003	1.342
1663	1203	412.6	83.373	298.6	7.389	0.8816	0.2689	0.2003	1.342
1664	1204	412.8	83.570	298.8	7.376	0.8818	0.2689	0.2004	1.342
1665	1205	413.1	83.767	299.0	7.363	0.8819	0.2689	0.2004	1.342
1666	1206	413.4	83.964	299.2	7.350	0.8821	0.2690	0.2004	1.342
1667	1207	413.6	84.162	299.4	7.337	0.8823	0.2690	0.2004	1.342
1668	1208	413.9	84.361	299.6	7.324	0.8824	0.2690	0.2005	1.342
1669	1209	414.2	84.559	299.8	7.311	0.8826	0.2690	0.2005	1.342
1670	1210	414.5	84.758	300.0	7.299	0.8827	0.2691	0.2005	1.342
1671	1211	414.7	84.958	300.2	7.286	0.8829	0.2691	0.2006	1.342
1672	1212	415.0	85.158	300.4	7.273	0.8831	0.2691	0.2006	1.342
1673	1213	415.3	85.358	300.6	7.260	0.8832	0.2692	0.2006	1.342
1674	1214	415.5	85.558	300.8	7.248	0.8834	0.2692	0.2006	1.342
1675	1215	415.8	85.759	301.0	7.235	0.8835	0.2692	0.2007	1.342
1676	1216	416.1	85.960	301.2	7.222	0.8837	0.2692	0.2007	1.342
1677	1217	416.3	86.162	301.4	7.210	0.8839	0.2693	0.2007	1.342
1678	1218	416.6	86.364	301.6	7.197	0.8840	0.2693	0.2007	1.341
1679	1219	416.9	86.566	301.8	7.185	0.8842	0.2693	0.2008	1.341
1680	1220	417.1	86.769	302.0	7.172	0.8844	0.2693	0.2008	1.341
1681	1221	417.4	86.972	302.2	7.160	0.8845	0.2694	0.2008	1.341
1682	1222	417.7	87.176	302.4	7.147	0.8847	0.2694	0.2009	1.341
1683	1223	418.0	87.380	302.6	7.135	0.8848	0.2694	0.2009	1.341
1684	1224	418.2	87.584	302.8	7.122	0.8850	0.2695	0.2009	1.341
1685	1225	418.5	87.789	303.0	7.110	0.8852	0.2695	0.2009	1.341
1686	1226	418.8	87.994	303.2	7.098	0.8853	0.2695	0.2010	1.341
1687	1227	419.0	88.199	303.4	7.085	0.8855	0.2695	0.2010	1.341
1688	1228	419.3	88.405	303.6	7.073	0.8856	0.2696	0.2010	1.341
1689	1229	419.6	88.611	303.8	7.061	0.8858	0.2696	0.2010	1.341
1690	1230	419.8	88.817	304.0	7.048	0.8859	0.2696	0.2011	1.341
1691	1231	420.1	89.024	304.2	7.036	0.8861	0.2696	0.2011	1.341
1692	1232	420.4	89.232	304.4	7.024	0.8863	0.2697	0.2011	1.341
1693	1233	420.7	89.439	304.6	7.012	0.8864	0.2697	0.2011	1.341
1694	1234	420.9	89.647	304.8	7.000	0.8866	0.2697	0.2012	1.341
1695	1235	421.2	89.856	305.0	6.988	0.8867	0.2698	0.2012	1.341
1696	1236	421.5	90.064	305.2	6.976	0.8869	0.2698	0.2012	1.341
1697	1237	421.7	90.274	305.4	6.963	0.8871	0.2698	0.2013	1.341
1698	1238	422.0	90.483	305.6	6.951	0.8872	0.2698	0.2013	1.341
1699	1239	422.3	90.693	305.8	6.939	0.8874	0.2699	0.2013	1.341

Air Tables developed by K. W. Lindler - U. S. Naval Academy									
T	t	h	Pr	u	vr	φ	Cp	Cv	k
°R	°F	Btu/lbm		Btu/lbm		Btu/lbm°R	Btu/lbm°R	Btu/lbm°R	
1700	1240	422.5	90.903	306.0	6.927	0.8875	0.2699	0.2013	1.340
1701	1241	422.8	91.114	306.2	6.916	0.8877	0.2699	0.2014	1.340
1702	1242	423.1	91.325	306.4	6.904	0.8879	0.2699	0.2014	1.340
1703	1243	423.4	91.537	306.6	6.892	0.8880	0.2700	0.2014	1.340
1704	1244	423.6	91.749	306.8	6.880	0.8882	0.2700	0.2014	1.340
1705	1245	423.9	91.961	307.0	6.868	0.8883	0.2700	0.2015	1.340
1706	1246	424.2	92.174	307.2	6.856	0.8885	0.2700	0.2015	1.340
1707	1247	424.4	92.387	307.4	6.844	0.8887	0.2701	0.2015	1.340
1708	1248	424.7	92.600	307.6	6.833	0.8888	0.2701	0.2015	1.340
1709	1249	425.0	92.814	307.8	6.821	0.8890	0.2701	0.2016	1.340
1710	1250	425.2	93.028	308.0	6.809	0.8891	0.2701	0.2016	1.340
1711	1251	425.5	93.243	308.2	6.797	0.8893	0.2702	0.2016	1.340
1712	1252	425.8	93.458	308.4	6.786	0.8894	0.2702	0.2017	1.340
1713	1253	426.1	93.673	308.6	6.774	0.8896	0.2702	0.2017	1.340
1714	1254	426.3	93.889	308.8	6.762	0.8898	0.2703	0.2017	1.340
1715	1255	426.6	94.105	309.0	6.751	0.8899	0.2703	0.2017	1.340
1716	1256	426.9	94.321	309.2	6.739	0.8901	0.2703	0.2018	1.340
1717	1257	427.1	94.538	309.4	6.728	0.8902	0.2703	0.2018	1.340
1718	1258	427.4	94.756	309.6	6.716	0.8904	0.2704	0.2018	1.340
1719	1259	427.7	94.973	309.8	6.705	0.8905	0.2704	0.2018	1.340
1720	1260	427.9	95.192	310.0	6.693	0.8907	0.2704	0.2019	1.340
1721	1261	428.2	95.410	310.2	6.682	0.8909	0.2704	0.2019	1.340
1722	1262	428.5	95.629	310.4	6.670	0.8910	0.2705	0.2019	1.339
1723	1263	428.8	95.848	310.6	6.659	0.8912	0.2705	0.2019	1.339
1724	1264	429.0	96.068	310.8	6.648	0.8913	0.2705	0.2020	1.339
1725	1265	429.3	96.288	311.0	6.636	0.8915	0.2705	0.2020	1.339
1726	1266	429.6	96.509	311.3	6.625	0.8916	0.2706	0.2020	1.339
1727	1267	429.8	96.730	311.5	6.614	0.8918	0.2706	0.2020	1.339
1728	1268	430.1	96.951	311.7	6.602	0.8920	0.2706	0.2021	1.339
1729	1269	430.4	97.173	311.9	6.591	0.8921	0.2706	0.2021	1.339
1730	1270	430.6	97.395	312.1	6.580	0.8923	0.2707	0.2021	1.339
1731	1271	430.9	97.617	312.3	6.569	0.8924	0.2707	0.2021	1.339
1732	1272	431.2	97.840	312.5	6.557	0.8926	0.2707	0.2022	1.339
1733	1273	431.5	98.063	312.7	6.546	0.8927	0.2707	0.2022	1.339
1734	1274	431.7	98.287	312.9	6.535	0.8929	0.2708	0.2022	1.339
1735	1275	432.0	98.511	313.1	6.524	0.8931	0.2708	0.2022	1.339
1736	1276	432.3	98.736	313.3	6.513	0.8932	0.2708	0.2023	1.339
1737	1277	432.5	98.961	313.5	6.502	0.8934	0.2708	0.2023	1.339
1738	1278	432.8	99.186	313.7	6.491	0.8935	0.2709	0.2023	1.339
1739	1279	433.1	99.412	313.9	6.480	0.8937	0.2709	0.2024	1.339
1740	1280	433.4	99.638	314.1	6.469	0.8938	0.2709	0.2024	1.339
1741	1281	433.6	99.864	314.3	6.458	0.8940	0.2710	0.2024	1.339
1742	1282	433.9	100.091	314.5	6.447	0.8941	0.2710	0.2024	1.339
1743	1283	434.2	100.318	314.7	6.436	0.8943	0.2710	0.2025	1.339
1744	1284	434.4	100.546	314.9	6.425	0.8945	0.2710	0.2025	1.339
1745	1285	434.7	100.774	315.1	6.414	0.8946	0.2711	0.2025	1.339
1746	1286	435.0	101.003	315.3	6.403	0.8948	0.2711	0.2025	1.338
1747	1287	435.3	101.232	315.5	6.393	0.8949	0.2711	0.2026	1.338
1748	1288	435.5	101.461	315.7	6.382	0.8951	0.2711	0.2026	1.338
1749	1289	435.8	101.691	315.9	6.371	0.8952	0.2712	0.2026	1.338

26

Air Tables developed by K. W. Lindler - U. S. Naval Academy									
T	t	h	Pr	u	vr	φ	Cp	Cv	k
°R	°F	Btu/lbm		Btu/lbm		Btu/lbm°R	Btu/lbm°R	Btu/lbm°R	
1750	1290	436.1	101.921	316.1	6.360	0.8954	0.2712	0.2026	1.338
1751	1291	436.3	102.152	316.3	6.350	0.8955	0.2712	0.2027	1.338
1752	1292	436.6	102.383	316.5	6.339	0.8957	0.2712	0.2027	1.338
1753	1293	436.9	102.614	316.7	6.328	0.8958	0.2713	0.2027	1.338
1754	1294	437.2	102.846	316.9	6.318	0.8960	0.2713	0.2027	1.338
1755	1295	437.4	103.078	317.1	6.307	0.8962	0.2713	0.2028	1.338
1756	1296	437.7	103.311	317.3	6.296	0.8963	0.2713	0.2028	1.338
1757	1297	438.0	103.544	317.5	6.286	0.8965	0.2714	0.2028	1.338
1758	1298	438.2	103.778	317.7	6.275	0.8966	0.2714	0.2028	1.338
1759	1299	438.5	104.011	317.9	6.265	0.8968	0.2714	0.2029	1.338
1760	1300	438.8	104.246	318.1	6.254	0.8969	0.2714	0.2029	1.338
1761	1301	439.1	104.481	318.3	6.244	0.8971	0.2715	0.2029	1.338
1762	1302	439.3	104.716	318.5	6.233	0.8972	0.2715	0.2029	1.338
1763	1303	439.6	104.951	318.7	6.223	0.8974	0.2715	0.2030	1.338
1764	1304	439.9	105.187	318.9	6.212	0.8975	0.2715	0.2030	1.338
1765	1305	440.1	105.424	319.1	6.202	0.8977	0.2716	0.2030	1.338
1766	1306	440.4	105.661	319.4	6.191	0.8979	0.2716	0.2030	1.338
1767	1307	440.7	105.898	319.6	6.181	0.8980	0.2716	0.2031	1.338
1768	1308	441.0	106.135	319.8	6.171	0.8982	0.2716	0.2031	1.338
1769	1309	441.2	106.373	320.0	6.160	0.8983	0.2717	0.2031	1.338
1770	1310	441.5	106.612	320.2	6.150	0.8985	0.2717	0.2031	1.337
1771	1311	441.8	106.851	320.4	6.140	0.8986	0.2717	0.2032	1.337
1772	1312	442.0	107.090	320.6	6.129	0.8988	0.2717	0.2032	1.337
1773	1313	442.3	107.330	320.8	6.119	0.8989	0.2717	0.2032	1.337
1774	1314	442.6	107.570	321.0	6.109	0.8991	0.2718	0.2032	1.337
1775	1315	442.9	107.811	321.2	6.099	0.8992	0.2718	0.2032	1.337
1776	1316	443.1	108.052	321.4	6.089	0.8994	0.2718	0.2033	1.337
1777	1317	443.4	108.293	321.6	6.078	0.8995	0.2718	0.2033	1.337
1778	1318	443.7	108.535	321.8	6.068	0.8997	0.2719	0.2033	1.337
1779	1319	443.9	108.778	322.0	6.058	0.8998	0.2719	0.2033	1.337
1780	1320	444.2	109.020	322.2	6.048	0.9000	0.2719	0.2034	1.337
1781	1321	444.5	109.263	322.4	6.038	0.9002	0.2719	0.2034	1.337
1782	1322	444.8	109.507	322.6	6.028	0.9003	0.2720	0.2034	1.337
1783	1323	445.0	109.751	322.8	6.018	0.9005	0.2720	0.2034	1.337
1784	1324	445.3	109.996	323.0	6.008	0.9006	0.2720	0.2035	1.337
1785	1325	445.6	110.240	323.2	5.998	0.9008	0.2720	0.2035	1.337
1786	1326	445.8	110.486	323.4	5.988	0.9009	0.2721	0.2035	1.337
1787	1327	446.1	110.731	323.6	5.978	0.9011	0.2721	0.2035	1.337
1788	1328	446.4	110.978	323.8	5.968	0.9012	0.2721	0.2036	1.337
1789	1329	446.7	111.224	324.0	5.958	0.9014	0.2721	0.2036	1.337
1790	1330	446.9	111.471	324.2	5.948	0.9015	0.2722	0.2036	1.337
1791	1331	447.2	111.719	324.4	5.938	0.9017	0.2722	0.2036	1.337
1792	1332	447.5	111.967	324.6	5.929	0.9018	0.2722	0.2037	1.337
1793	1333	447.8	112.215	324.8	5.919	0.9020	0.2722	0.2037	1.337
1794	1334	448.0	112.464	325.0	5.909	0.9021	0.2723	0.2037	1.337
1795	1335	448.3	112.713	325.3	5.899	0.9023	0.2723	0.2037	1.336
1796	1336	448.6	112.963	325.5	5.889	0.9024	0.2723	0.2038	1.336
1797	1337	448.8	113.213	325.7	5.880	0.9026	0.2723	0.2038	1.336
1798	1338	449.1	113.463	325.9	5.870	0.9027	0.2723	0.2038	1.336
1799	1339	449.4	113.714	326.1	5.860	0.9029	0.2724	0.2038	1.336

Air Tables developed by K. W. Lindler - U. S. Naval Academy									
T	t	h	Pr	u	vr	φ	Cp	Cv	k
°R	°F	Btu/lbm		Btu/lbm		Btu/lbm°R	Btu/lbm°R	Btu/lbm°R	
1800	1340	449.7	113.965	326.3	5.851	0.9030	0.2724	0.2038	1.336
1801	1341	449.9	114.217	326.5	5.841	0.9032	0.2724	0.2039	1.336
1802	1342	450.2	114.469	326.7	5.831	0.9033	0.2724	0.2039	1.336
1803	1343	450.5	114.722	326.9	5.822	0.9035	0.2725	0.2039	1.336
1804	1344	450.7	114.975	327.1	5.812	0.9036	0.2725	0.2039	1.336
1805	1345	451.0	115.229	327.3	5.803	0.9038	0.2725	0.2040	1.336
1806	1346	451.3	115.483	327.5	5.793	0.9039	0.2725	0.2040	1.336
1807	1347	451.6	115.737	327.7	5.784	0.9041	0.2726	0.2040	1.336
1808	1348	451.8	115.992	327.9	5.774	0.9042	0.2726	0.2040	1.336
1809	1349	452.1	116.247	328.1	5.765	0.9044	0.2726	0.2041	1.336
1810	1350	452.4	116.503	328.3	5.755	0.9045	0.2726	0.2041	1.336
1811	1351	452.7	116.759	328.5	5.746	0.9047	0.2726	0.2041	1.336
1812	1352	452.9	117.016	328.7	5.736	0.9049	0.2727	0.2041	1.336
1813	1353	453.2	117.273	328.9	5.727	0.9050	0.2727	0.2041	1.336
1814	1354	453.5	117.531	329.1	5.717	0.9052	0.2727	0.2042	1.336
1815	1355	453.7	117.789	329.3	5.708	0.9053	0.2727	0.2042	1.336
1816	1356	454.0	118.047	329.5	5.699	0.9055	0.2728	0.2042	1.336
1817	1357	454.3	118.306	329.7	5.689	0.9056	0.2728	0.2042	1.336
1818	1358	454.6	118.565	329.9	5.680	0.9058	0.2728	0.2043	1.336
1819	1359	454.8	118.825	330.1	5.671	0.9059	0.2728	0.2043	1.336
1820	1360	455.1	119.085	330.4	5.661	0.9061	0.2728	0.2043	1.336
1821	1361	455.4	119.346	330.6	5.652	0.9062	0.2729	0.2043	1.335
1822	1362	455.7	119.607	330.8	5.643	0.9064	0.2729	0.2043	1.335
1823	1363	455.9	119.869	331.0	5.634	0.9065	0.2729	0.2044	1.335
1824	1364	456.2	120.131	331.2	5.624	0.9067	0.2729	0.2044	1.335
1825	1365	456.5	120.393	331.4	5.615	0.9068	0.2730	0.2044	1.335
1826	1366	456.7	120.656	331.6	5.606	0.9070	0.2730	0.2044	1.335
1827	1367	457.0	120.919	331.8	5.597	0.9071	0.2730	0.2045	1.335
1828	1368	457.3	121.183	332.0	5.588	0.9072	0.2730	0.2045	1.335
1829	1369	457.6	121.447	332.2	5.579	0.9074	0.2730	0.2045	1.335
1830	1370	457.8	121.712	332.4	5.570	0.9075	0.2731	0.2045	1.335
1831	1371	458.1	121.977	332.6	5.561	0.9077	0.2731	0.2045	1.335
1832	1372	458.4	122.243	332.8	5.551	0.9078	0.2731	0.2046	1.335
1833	1373	458.7	122.509	333.0	5.542	0.9080	0.2731	0.2046	1.335
1834	1374	458.9	122.775	333.2	5.533	0.9081	0.2732	0.2046	1.335
1835	1375	459.2	123.042	333.4	5.524	0.9083	0.2732	0.2046	1.335
1836	1376	459.5	123.310	333.6	5.515	0.9084	0.2732	0.2047	1.335
1837	1377	459.8	123.578	333.8	5.506	0.9086	0.2732	0.2047	1.335
1838	1378	460.0	123.846	334.0	5.498	0.9087	0.2732	0.2047	1.335
1839	1379	460.3	124.115	334.2	5.489	0.9089	0.2733	0.2047	1.335
1840	1380	460.6	124.384	334.4	5.480	0.9090	0.2733	0.2047	1.335
1841	1381	460.8	124.654	334.6	5.471	0.9092	0.2733	0.2048	1.335
1842	1382	461.1	124.924	334.9	5.462	0.9093	0.2733	0.2048	1.335
1843	1383	461.4	125.195	335.1	5.453	0.9095	0.2734	0.2048	1.335
1844	1384	461.7	125.466	335.3	5.444	0.9096	0.2734	0.2048	1.335
1845	1385	461.9	125.738	335.5	5.435	0.9098	0.2734	0.2049	1.335
1846	1386	462.2	126.010	335.7	5.427	0.9099	0.2734	0.2049	1.335
1847	1387	462.5	126.282	335.9	5.418	0.9101	0.2734	0.2049	1.335
1848	1388	462.8	126.555	336.1	5.409	0.9102	0.2735	0.2049	1.335
1849	1389	463.0	126.829	336.3	5.400	0.9104	0.2735	0.2049	1.334

Air Tables developed by K. W. Lindler - U. S. Naval Academy									
T	t	h	Pr	u	vr	φ	Cp	Cv	k
°R	°F	Btu/lbm		Btu/lbm		Btu/lbm°R	Btu/lbm°R	Btu/lbm°R	
1850	1390	463.3	127.102	336.5	5.392	0.9105	0.2735	0.2050	1.334
1851	1391	463.6	127.377	336.7	5.383	0.9107	0.2735	0.2050	1.334
1852	1392	463.9	127.652	336.9	5.374	0.9108	0.2736	0.2050	1.334
1853	1393	464.1	127.927	337.1	5.366	0.9110	0.2736	0.2050	1.334
1854	1394	464.4	128.203	337.3	5.357	0.9111	0.2736	0.2051	1.334
1855	1395	464.7	128.479	337.5	5.348	0.9113	0.2736	0.2051	1.334
1856	1396	464.9	128.756	337.7	5.340	0.9114	0.2736	0.2051	1.334
1857	1397	465.2	129.033	337.9	5.331	0.9116	0.2737	0.2051	1.334
1858	1398	465.5	129.310	338.1	5.323	0.9117	0.2737	0.2051	1.334
1859	1399	465.8	129.589	338.3	5.314	0.9118	0.2737	0.2052	1.334
1860	1400	466.0	129.867	338.5	5.305	0.9120	0.2737	0.2052	1.334
1861	1401	466.3	130.146	338.7	5.297	0.9121	0.2738	0.2052	1.334
1862	1402	466.6	130.426	339.0	5.288	0.9123	0.2738	0.2052	1.334
1863	1403	466.9	130.706	339.2	5.280	0.9124	0.2738	0.2053	1.334
1864	1404	467.1	130.986	339.4	5.271	0.9126	0.2738	0.2053	1.334
1865	1405	467.4	131.267	339.6	5.263	0.9127	0.2738	0.2053	1.334
1866	1406	467.7	131.549	339.8	5.255	0.9129	0.2739	0.2053	1.334
1867	1407	468.0	131.830	340.0	5.246	0.9130	0.2739	0.2053	1.334
1868	1408	468.2	132.113	340.2	5.238	0.9132	0.2739	0.2054	1.334
1869	1409	468.5	132.396	340.4	5.229	0.9133	0.2739	0.2054	1.334
1870	1410	468.8	132.679	340.6	5.221	0.9135	0.2740	0.2054	1.334
1871	1411	469.1	132.963	340.8	5.213	0.9136	0.2740	0.2054	1.334
1872	1412	469.3	133.247	341.0	5.204	0.9138	0.2740	0.2054	1.334
1873	1413	469.6	133.532	341.2	5.196	0.9139	0.2740	0.2055	1.334
1874	1414	469.9	133.817	341.4	5.188	0.9140	0.2740	0.2055	1.334
1875	1415	470.2	134.103	341.6	5.179	0.9142	0.2741	0.2055	1.334
1876	1416	470.4	134.389	341.8	5.171	0.9143	0.2741	0.2055	1.334
1877	1417	470.7	134.676	342.0	5.163	0.9145	0.2741	0.2056	1.333
1878	1418	471.0	134.963	342.2	5.155	0.9146	0.2741	0.2056	1.333
1879	1419	471.2	135.250	342.4	5.146	0.9148	0.2742	0.2056	1.333
1880	1420	471.5	135.538	342.6	5.138	0.9149	0.2742	0.2056	1.333
1881	1421	471.8	135.827	342.9	5.130	0.9151	0.2742	0.2056	1.333
1882	1422	472.1	136.116	343.1	5.122	0.9152	0.2742	0.2057	1.333
1883	1423	472.3	136.406	343.3	5.114	0.9154	0.2742	0.2057	1.333
1884	1424	472.6	136.696	343.5	5.105	0.9155	0.2743	0.2057	1.333
1885	1425	472.9	136.986	343.7	5.097	0.9157	0.2743	0.2057	1.333
1886	1426	473.2	137.277	343.9	5.089	0.9158	0.2743	0.2058	1.333
1887	1427	473.4	137.569	344.1	5.081	0.9159	0.2743	0.2058	1.333
1888	1428	473.7	137.861	344.3	5.073	0.9161	0.2743	0.2058	1.333
1889	1429	474.0	138.153	344.5	5.065	0.9162	0.2744	0.2058	1.333
1890	1430	474.3	138.446	344.7	5.057	0.9164	0.2744	0.2058	1.333
1891	1431	474.5	138.740	344.9	5.049	0.9165	0.2744	0.2059	1.333
1892	1432	474.8	139.034	345.1	5.041	0.9167	0.2744	0.2059	1.333
1893	1433	475.1	139.328	345.3	5.033	0.9168	0.2745	0.2059	1.333
1894	1434	475.4	139.623	345.5	5.025	0.9170	0.2745	0.2059	1.333
1895	1435	475.6	139.918	345.7	5.017	0.9171	0.2745	0.2059	1.333
1896	1436	475.9	140.214	345.9	5.009	0.9172	0.2745	0.2060	1.333
1897	1437	476.2	140.511	346.1	5.001	0.9174	0.2745	0.2060	1.333
1898	1438	476.5	140.808	346.4	4.993	0.9175	0.2746	0.2060	1.333
1899	1439	476.7	141.105	346.6	4.985	0.9177	0.2746	0.2060	1.333

Air Tables developed by K. W. Lindler - U. S. Naval Academy									
T	t	h	Pr	u	vr	φ	Cp	Cv	k
°R	°F	Btu/lbm		Btu/lbm		Btu/lbm°R	Btu/lbm°R	Btu/lbm°R	
1900	1440	477.0	141.403	346.8	4.977	0.9178	0.2746	0.2061	1.333
1901	1441	477.3	141.701	347.0	4.970	0.9180	0.2746	0.2061	1.333
1902	1442	477.6	142.000	347.2	4.962	0.9181	0.2746	0.2061	1.333
1903	1443	477.8	142.300	347.4	4.954	0.9183	0.2747	0.2061	1.333
1904	1444	478.1	142.599	347.6	4.946	0.9184	0.2747	0.2061	1.333
1905	1445	478.4	142.900	347.8	4.938	0.9185	0.2747	0.2062	1.332
1906	1446	478.7	143.201	348.0	4.930	0.9187	0.2747	0.2062	1.332
1907	1447	478.9	143.502	348.2	4.923	0.9188	0.2748	0.2062	1.332
1908	1448	479.2	143.804	348.4	4.915	0.9190	0.2748	0.2062	1.332
1909	1449	479.5	144.106	348.6	4.907	0.9191	0.2748	0.2063	1.332
1910	1450	479.8	144.409	348.8	4.899	0.9193	0.2748	0.2063	1.332
1911	1451	480.0	144.713	349.0	4.892	0.9194	0.2748	0.2063	1.332
1912	1452	480.3	145.016	349.2	4.884	0.9196	0.2749	0.2063	1.332
1913	1453	480.6	145.321	349.4	4.876	0.9197	0.2749	0.2063	1.332
1914	1454	480.9	145.626	349.7	4.869	0.9198	0.2749	0.2064	1.332
1915	1455	481.1	145.931	349.9	4.861	0.9200	0.2749	0.2064	1.332
1916	1456	481.4	146.237	350.1	4.853	0.9201	0.2749	0.2064	1.332
1917	1457	481.7	146.543	350.3	4.846	0.9203	0.2750	0.2064	1.332
1918	1458	482.0	146.850	350.5	4.838	0.9204	0.2750	0.2064	1.332
1919	1459	482.2	147.158	350.7	4.831	0.9206	0.2750	0.2065	1.332
1920	1460	482.5	147.466	350.9	4.823	0.9207	0.2750	0.2065	1.332
1921	1461	482.8	147.774	351.1	4.815	0.9208	0.2751	0.2065	1.332
1922	1462	483.1	148.083	351.3	4.808	0.9210	0.2751	0.2065	1.332
1923	1463	483.3	148.392	351.5	4.800	0.9211	0.2751	0.2066	1.332
1924	1464	483.6	148.702	351.7	4.793	0.9213	0.2751	0.2066	1.332
1925	1465	483.9	149.013	351.9	4.785	0.9214	0.2751	0.2066	1.332
1926	1466	484.2	149.324	352.1	4.778	0.9216	0.2752	0.2066	1.332
1927	1467	484.4	149.635	352.3	4.770	0.9217	0.2752	0.2066	1.332
1928	1468	484.7	149.947	352.5	4.763	0.9218	0.2752	0.2067	1.332
1929	1469	485.0	150.260	352.8	4.755	0.9220	0.2752	0.2067	1.332
1930	1470	485.3	150.573	353.0	4.748	0.9221	0.2752	0.2067	1.332
1931	1471	485.5	150.886	353.2	4.741	0.9223	0.2753	0.2067	1.332
1932	1472	485.8	151.200	353.4	4.733	0.9224	0.2753	0.2067	1.332
1933	1473	486.1	151.515	353.6	4.726	0.9226	0.2753	0.2068	1.332
1934	1474	486.4	151.830	353.8	4.719	0.9227	0.2753	0.2068	1.332
1935	1475	486.6	152.145	354.0	4.711	0.9228	0.2754	0.2068	1.331
1936	1476	486.9	152.461	354.2	4.704	0.9230	0.2754	0.2068	1.331
1937	1477	487.2	152.778	354.4	4.697	0.9231	0.2754	0.2068	1.331
1938	1478	487.5	153.095	354.6	4.689	0.9233	0.2754	0.2069	1.331
1939	1479	487.7	153.413	354.8	4.682	0.9234	0.2754	0.2069	1.331
1940	1480	488.0	153.731	355.0	4.675	0.9236	0.2755	0.2069	1.331
1941	1481	488.3	154.050	355.2	4.667	0.9237	0.2755	0.2069	1.331
1942	1482	488.6	154.369	355.4	4.660	0.9238	0.2755	0.2070	1.331
1943	1483	488.8	154.689	355.6	4.653	0.9240	0.2755	0.2070	1.331
1944	1484	489.1	155.009	355.9	4.646	0.9241	0.2755	0.2070	1.331
1945	1485	489.4	155.330	356.1	4.638	0.9243	0.2756	0.2070	1.331
1946	1486	489.7	155.651	356.3	4.631	0.9244	0.2756	0.2070	1.331
1947	1487	489.9	155.973	356.5	4.624	0.9245	0.2756	0.2071	1.331
1948	1488	490.2	156.295	356.7	4.617	0.9247	0.2756	0.2071	1.331
1949	1489	490.5	156.618	356.9	4.610	0.9248	0.2756	0.2071	1.331

Air Tables developed by K. W. Lindler - U. S. Naval Academy									
T	t	h	Pr	u	vr	φ	Cp	Cv	k
°R	°F	Btu/lbm		Btu/lbm		Btu/lbm°R	Btu/lbm°R	Btu/lbm°R	
1950	1490	490.8	156.941	357.1	4.603	0.9250	0.2757	0.2071	1.331
1951	1491	491.0	157.265	357.3	4.595	0.9251	0.2757	0.2071	1.331
1952	1492	491.3	157.590	357.5	4.588	0.9253	0.2757	0.2072	1.331
1953	1493	491.6	157.915	357.7	4.581	0.9254	0.2757	0.2072	1.331
1954	1494	491.9	158.240	357.9	4.574	0.9255	0.2758	0.2072	1.331
1955	1495	492.1	158.566	358.1	4.567	0.9257	0.2758	0.2072	1.331
1956	1496	492.4	158.893	358.3	4.560	0.9258	0.2758	0.2072	1.331
1957	1497	492.7	159.220	358.5	4.553	0.9260	0.2758	0.2073	1.331
1958	1498	493.0	159.548	358.8	4.546	0.9261	0.2758	0.2073	1.331
1959	1499	493.2	159.876	359.0	4.539	0.9262	0.2759	0.2073	1.331
1960	1500	493.5	160.205	359.2	4.532	0.9264	0.2759	0.2073	1.331
1961	1501	493.8	160.534	359.4	4.525	0.9265	0.2759	0.2074	1.331
1962	1502	494.1	160.863	359.6	4.518	0.9267	0.2759	0.2074	1.331
1963	1503	494.4	161.194	359.8	4.511	0.9268	0.2759	0.2074	1.331
1964	1504	494.6	161.525	360.0	4.504	0.9269	0.2760	0.2074	1.330
1965	1505	494.9	161.856	360.2	4.497	0.9271	0.2760	0.2074	1.330
1966	1506	495.2	162.188	360.4	4.490	0.9272	0.2760	0.2075	1.330
1967	1507	495.5	162.520	360.6	4.483	0.9274	0.2760	0.2075	1.330
1968	1508	495.7	162.853	360.8	4.476	0.9275	0.2760	0.2075	1.330
1969	1509	496.0	163.187	361.0	4.470	0.9276	0.2761	0.2075	1.330
1970	1510	496.3	163.521	361.2	4.463	0.9278	0.2761	0.2075	1.330
1971	1511	496.6	163.855	361.4	4.456	0.9279	0.2761	0.2076	1.330
1972	1512	496.8	164.191	361.7	4.449	0.9281	0.2761	0.2076	1.330
1973	1513	497.1	164.526	361.9	4.442	0.9282	0.2762	0.2076	1.330
1974	1514	497.4	164.862	362.1	4.435	0.9283	0.2762	0.2076	1.330
1975	1515	497.7	165.199	362.3	4.429	0.9285	0.2762	0.2076	1.330
1976	1516	497.9	165.536	362.5	4.422	0.9286	0.2762	0.2077	1.330
1977	1517	498.2	165.874	362.7	4.415	0.9288	0.2762	0.2077	1.330
1978	1518	498.5	166.213	362.9	4.408	0.9289	0.2763	0.2077	1.330
1979	1519	498.8	166.552	363.1	4.402	0.9290	0.2763	0.2077	1.330
1980	1520	499.0	166.891	363.3	4.395	0.9292	0.2763	0.2077	1.330
1981	1521	499.3	167.231	363.5	4.388	0.9293	0.2763	0.2078	1.330
1982	1522	499.6	167.572	363.7	4.381	0.9295	0.2763	0.2078	1.330
1983	1523	499.9	167.913	363.9	4.375	0.9296	0.2764	0.2078	1.330
1984	1524	500.2	168.254	364.1	4.368	0.9297	0.2764	0.2078	1.330
1985	1525	500.4	168.597	364.4	4.361	0.9299	0.2764	0.2079	1.330
1986	1526	500.7	168.939	364.6	4.355	0.9300	0.2764	0.2079	1.330
1987	1527	501.0	169.283	364.8	4.348	0.9302	0.2764	0.2079	1.330
1988	1528	501.3	169.626	365.0	4.341	0.9303	0.2765	0.2079	1.330
1989	1529	501.5	169.971	365.2	4.335	0.9304	0.2765	0.2079	1.330
1990	1530	501.8	170.316	365.4	4.328	0.9306	0.2765	0.2080	1.330
1991	1531	502.1	170.661	365.6	4.322	0.9307	0.2765	0.2080	1.330
1992	1532	502.4	171.007	365.8	4.315	0.9309	0.2765	0.2080	1.330
1993	1533	502.6	171.354	366.0	4.308	0.9310	0.2766	0.2080	1.330
1994	1534	502.9	171.701	366.2	4.302	0.9311	0.2766	0.2080	1.330
1995	1535	503.2	172.049	366.4	4.295	0.9313	0.2766	0.2081	1.329
1996	1536	503.5	172.397	366.6	4.289	0.9314	0.2766	0.2081	1.329
1997	1537	503.7	172.746	366.9	4.282	0.9316	0.2766	0.2081	1.329
1998	1538	504.0	173.095	367.1	4.276	0.9317	0.2767	0.2081	1.329
1999	1539	504.3	173.445	367.3	4.269	0.9318	0.2767	0.2081	1.329

T	t	h	Pr	u	vr	φ	Cp	Cv	k
°R	°F	Btu/lbm		Btu/lbm		Btu/lbm°R	Btu/lbm°R	Btu/lbm°R	
2000	1540	504.6	173.796	367.5	4.263	0.9320	0.2767	0.2082	1.329
2001	1541	504.9	174.147	367.7	4.256	0.9321	0.2767	0.2082	1.329
2002	1542	505.1	174.498	367.9	4.250	0.9322	0.2767	0.2082	1.329
2003	1543	505.4	174.851	368.1	4.243	0.9324	0.2768	0.2082	1.329
2004	1544	505.7	175.203	368.3	4.237	0.9325	0.2768	0.2082	1.329
2005	1545	506.0	175.557	368.5	4.231	0.9327	0.2768	0.2083	1.329
2006	1546	506.2	175.910	368.7	4.224	0.9328	0.2768	0.2083	1.329
2007	1547	506.5	176.265	368.9	4.218	0.9329	0.2769	0.2083	1.329
2008	1548	506.8	176.620	369.1	4.211	0.9331	0.2769	0.2083	1.329
2009	1549	507.1	176.975	369.4	4.205	0.9332	0.2769	0.2083	1.329
2010	1550	507.3	177.332	369.6	4.199	0.9333	0.2769	0.2084	1.329
2011	1551	507.6	177.688	369.8	4.192	0.9335	0.2769	0.2084	1.329
2012	1552	507.9	178.045	370.0	4.186	0.9336	0.2770	0.2084	1.329
2013	1553	508.2	178.403	370.2	4.180	0.9338	0.2770	0.2084	1.329
2014	1554	508.5	178.762	370.4	4.173	0.9339	0.2770	0.2084	1.329
2015	1555	508.7	179.121	370.6	4.167	0.9340	0.2770	0.2085	1.329
2016	1556	509.0	179.480	370.8	4.161	0.9342	0.2770	0.2085	1.329
2017	1557	509.3	179.840	371.0	4.155	0.9343	0.2771	0.2085	1.329
2018	1558	509.6	180.201	371.2	4.148	0.9344	0.2771	0.2085	1.329
2019	1559	509.8	180.562	371.4	4.142	0.9346	0.2771	0.2085	1.329
2020	1560	510.1	180.924	371.6	4.136	0.9347	0.2771	0.2086	1.329
2021	1561	510.4	181.286	371.9	4.130	0.9349	0.2771	0.2086	1.329
2022	1562	510.7	181.649	372.1	4.123	0.9350	0.2772	0.2086	1.329
2023	1563	510.9	182.013	372.3	4.117	0.9351	0.2772	0.2086	1.329
2024	1564	511.2	182.377	372.5	4.111	0.9353	0.2772	0.2086	1.329
2025	1565	511.5	182.741	372.7	4.105	0.9354	0.2772	0.2087	1.329
2026	1566	511.8	183.107	372.9	4.099	0.9355	0.2772	0.2087	1.328
2027	1567	512.1	183.472	373.1	4.093	0.9357	0.2773	0.2087	1.328
2028	1568	512.3	183.839	373.3	4.086	0.9358	0.2773	0.2087	1.328
2029	1569	512.6	184.206	373.5	4.080	0.9360	0.2773	0.2087	1.328
2030	1570	512.9	184.573	373.7	4.074	0.9361	0.2773	0.2088	1.328
2031	1571	513.2	184.941	373.9	4.068	0.9362	0.2773	0.2088	1.328
2032	1572	513.4	185.310	374.1	4.062	0.9364	0.2774	0.2088	1.328
2033	1573	513.7	185.679	374.4	4.056	0.9365	0.2774	0.2088	1.328
2034	1574	514.0	186.049	374.6	4.050	0.9366	0.2774	0.2089	1.328
2035	1575	514.3	186.420	374.8	4.044	0.9368	0.2774	0.2089	1.328
2036	1576	514.6	186.791	375.0	4.038	0.9369	0.2774	0.2089	1.328
2037	1577	514.8	187.162	375.2	4.032	0.9370	0.2775	0.2089	1.328
2038	1578	515.1	187.535	375.4	4.026	0.9372	0.2775	0.2089	1.328
2039	1579	515.4	187.907	375.6	4.020	0.9373	0.2775	0.2090	1.328
2040	1580	515.7	188.281	375.8	4.014	0.9375	0.2775	0.2090	1.328
2041	1581	515.9	188.655	376.0	4.008	0.9376	0.2775	0.2090	1.328
2042	1582	516.2	189.029	376.2	4.002	0.9377	0.2776	0.2090	1.328
2043	1583	516.5	189.404	376.4	3.996	0.9379	0.2776	0.2090	1.328
2044	1584	516.8	189.780	376.7	3.990	0.9380	0.2776	0.2091	1.328
2045	1585	517.0	190.156	376.9	3.984	0.9381	0.2776	0.2091	1.328
2046	1586	517.3	190.533	377.1	3.978	0.9383	0.2776	0.2091	1.328
2047	1587	517.6	190.911	377.3	3.972	0.9384	0.2777	0.2091	1.328
2048	1588	517.9	191.289	377.5	3.966	0.9385	0.2777	0.2091	1.328
2049	1589	518.2	191.667	377.7	3.960	0.9387	0.2777	0.2092	1.328

Air Tables developed by K. W. Lindler - U. S. Naval Academy

\multicolumn{10}{c}{Air Tables developed by K. W. Lindler - U. S. Naval Academy}									
T	t	h	Pr	u	vr	φ	Cp	Cv	k
°R	°F	Btu/lbm		Btu/lbm		Btu/lbm°R	Btu/lbm°R	Btu/lbm°R	
2050	1590	518.4	192.047	377.9	3.954	0.9388	0.2777	0.2092	1.328
2051	1591	518.7	192.427	378.1	3.948	0.9389	0.2777	0.2092	1.328
2052	1592	519.0	192.807	378.3	3.942	0.9391	0.2778	0.2092	1.328
2053	1593	519.3	193.188	378.5	3.937	0.9392	0.2778	0.2092	1.328
2054	1594	519.5	193.570	378.7	3.931	0.9394	0.2778	0.2093	1.328
2055	1595	519.8	193.952	379.0	3.925	0.9395	0.2778	0.2093	1.328
2056	1596	520.1	194.335	379.2	3.919	0.9396	0.2778	0.2093	1.328
2057	1597	520.4	194.718	379.4	3.913	0.9398	0.2779	0.2093	1.327
2058	1598	520.7	195.102	379.6	3.907	0.9399	0.2779	0.2093	1.327
2059	1599	520.9	195.487	379.8	3.902	0.9400	0.2779	0.2094	1.327
2060	1600	521.2	195.872	380.0	3.896	0.9402	0.2779	0.2094	1.327
2061	1601	521.5	196.258	380.2	3.890	0.9403	0.2779	0.2094	1.327
2062	1602	521.8	196.644	380.4	3.884	0.9404	0.2780	0.2094	1.327
2063	1603	522.0	197.031	380.6	3.879	0.9406	0.2780	0.2094	1.327
2064	1604	522.3	197.419	380.8	3.873	0.9407	0.2780	0.2095	1.327
2065	1605	522.6	197.807	381.1	3.867	0.9408	0.2780	0.2095	1.327
2066	1606	522.9	198.196	381.3	3.861	0.9410	0.2780	0.2095	1.327
2067	1607	523.2	198.585	381.5	3.856	0.9411	0.2781	0.2095	1.327
2068	1608	523.4	198.975	381.7	3.850	0.9412	0.2781	0.2095	1.327
2069	1609	523.7	199.366	381.9	3.844	0.9414	0.2781	0.2095	1.327
2070	1610	524.0	199.757	382.1	3.839	0.9415	0.2781	0.2096	1.327
2071	1611	524.3	200.149	382.3	3.833	0.9416	0.2781	0.2096	1.327
2072	1612	524.6	200.541	382.5	3.827	0.9418	0.2782	0.2096	1.327
2073	1613	524.8	200.934	382.7	3.822	0.9419	0.2782	0.2096	1.327
2074	1614	525.1	201.328	382.9	3.816	0.9420	0.2782	0.2096	1.327
2075	1615	525.4	201.722	383.1	3.810	0.9422	0.2782	0.2097	1.327
2076	1616	525.7	202.117	383.4	3.805	0.9423	0.2782	0.2097	1.327
2077	1617	525.9	202.512	383.6	3.799	0.9424	0.2783	0.2097	1.327
2078	1618	526.2	202.909	383.8	3.794	0.9426	0.2783	0.2097	1.327
2079	1619	526.5	203.305	384.0	3.788	0.9427	0.2783	0.2097	1.327
2080	1620	526.8	203.703	384.2	3.782	0.9429	0.2783	0.2098	1.327
2081	1621	527.1	204.100	384.4	3.777	0.9430	0.2783	0.2098	1.327
2082	1622	527.3	204.499	384.6	3.771	0.9431	0.2784	0.2098	1.327
2083	1623	527.6	204.898	384.8	3.766	0.9433	0.2784	0.2098	1.327
2084	1624	527.9	205.298	385.0	3.760	0.9434	0.2784	0.2098	1.327
2085	1625	528.2	205.698	385.2	3.755	0.9435	0.2784	0.2099	1.327
2086	1626	528.4	206.099	385.5	3.749	0.9437	0.2784	0.2099	1.327
2087	1627	528.7	206.501	385.7	3.744	0.9438	0.2785	0.2099	1.327
2088	1628	529.0	206.903	385.9	3.738	0.9439	0.2785	0.2099	1.327
2089	1629	529.3	207.306	386.1	3.733	0.9441	0.2785	0.2099	1.327
2090	1630	529.6	207.710	386.3	3.727	0.9442	0.2785	0.2100	1.326
2091	1631	529.8	208.114	386.5	3.722	0.9443	0.2785	0.2100	1.326
2092	1632	530.1	208.518	386.7	3.716	0.9445	0.2786	0.2100	1.326
2093	1633	530.4	208.924	386.9	3.711	0.9446	0.2786	0.2100	1.326
2094	1634	530.7	209.330	387.1	3.706	0.9447	0.2786	0.2100	1.326
2095	1635	531.0	209.736	387.3	3.700	0.9449	0.2786	0.2101	1.326
2096	1636	531.2	210.143	387.6	3.695	0.9450	0.2786	0.2101	1.326
2097	1637	531.5	210.551	387.8	3.689	0.9451	0.2786	0.2101	1.326
2098	1638	531.8	210.960	388.0	3.684	0.9453	0.2787	0.2101	1.326
2099	1639	532.1	211.369	388.2	3.679	0.9454	0.2787	0.2101	1.326

T	t	h	Pr	u	vr	φ	Cp	Cv	k
°R	°F	Btu/lbm		Btu/lbm		Btu/lbm°R	Btu/lbm°R	Btu/lbm°R	
2100	1640	532.3	211.779	388.4	3.673	0.9455	0.2787	0.2102	1.326
2101	1641	532.6	212.189	388.6	3.668	0.9456	0.2787	0.2102	1.326
2102	1642	532.9	212.600	388.8	3.662	0.9458	0.2787	0.2102	1.326
2103	1643	533.2	213.011	389.0	3.657	0.9459	0.2788	0.2102	1.326
2104	1644	533.5	213.424	389.2	3.652	0.9460	0.2788	0.2102	1.326
2105	1645	533.7	213.837	389.4	3.647	0.9462	0.2788	0.2103	1.326
2106	1646	534.0	214.250	389.7	3.641	0.9463	0.2788	0.2103	1.326
2107	1647	534.3	214.664	389.9	3.636	0.9464	0.2788	0.2103	1.326
2108	1648	534.6	215.079	390.1	3.631	0.9466	0.2789	0.2103	1.326
2109	1649	534.9	215.494	390.3	3.625	0.9467	0.2789	0.2103	1.326
2110	1650	535.1	215.910	390.5	3.620	0.9468	0.2789	0.2104	1.326
2111	1651	535.4	216.327	390.7	3.615	0.9470	0.2789	0.2104	1.326
2112	1652	535.7	216.744	390.9	3.610	0.9471	0.2789	0.2104	1.326
2113	1653	536.0	217.162	391.1	3.604	0.9472	0.2790	0.2104	1.326
2114	1654	536.3	217.581	391.3	3.599	0.9474	0.2790	0.2104	1.326
2115	1655	536.5	218.000	391.5	3.594	0.9475	0.2790	0.2104	1.326
2116	1656	536.8	218.420	391.8	3.589	0.9476	0.2790	0.2105	1.326
2117	1657	537.1	218.840	392.0	3.583	0.9478	0.2790	0.2105	1.326
2118	1658	537.4	219.261	392.2	3.578	0.9479	0.2791	0.2105	1.326
2119	1659	537.6	219.683	392.4	3.573	0.9480	0.2791	0.2105	1.326
2120	1660	537.9	220.105	392.6	3.568	0.9482	0.2791	0.2105	1.326
2121	1661	538.2	220.528	392.8	3.563	0.9483	0.2791	0.2106	1.326
2122	1662	538.5	220.952	393.0	3.558	0.9484	0.2791	0.2106	1.326
2123	1663	538.8	221.376	393.2	3.552	0.9486	0.2792	0.2106	1.325
2124	1664	539.0	221.801	393.4	3.547	0.9487	0.2792	0.2106	1.325
2125	1665	539.3	222.227	393.7	3.542	0.9488	0.2792	0.2106	1.325
2126	1666	539.6	222.653	393.9	3.537	0.9489	0.2792	0.2107	1.325
2127	1667	539.9	223.080	394.1	3.532	0.9491	0.2792	0.2107	1.325
2128	1668	540.2	223.508	394.3	3.527	0.9492	0.2792	0.2107	1.325
2129	1669	540.4	223.936	394.5	3.522	0.9493	0.2793	0.2107	1.325
2130	1670	540.7	224.365	394.7	3.517	0.9495	0.2793	0.2107	1.325
2131	1671	541.0	224.794	394.9	3.512	0.9496	0.2793	0.2108	1.325
2132	1672	541.3	225.224	395.1	3.507	0.9497	0.2793	0.2108	1.325
2133	1673	541.6	225.655	395.3	3.501	0.9499	0.2793	0.2108	1.325
2134	1674	541.8	226.087	395.6	3.496	0.9500	0.2794	0.2108	1.325
2135	1675	542.1	226.519	395.8	3.491	0.9501	0.2794	0.2108	1.325
2136	1676	542.4	226.951	396.0	3.486	0.9503	0.2794	0.2109	1.325
2137	1677	542.7	227.385	396.2	3.481	0.9504	0.2794	0.2109	1.325
2138	1678	543.0	227.819	396.4	3.476	0.9505	0.2794	0.2109	1.325
2139	1679	543.2	228.254	396.6	3.471	0.9507	0.2795	0.2109	1.325
2140	1680	543.5	228.689	396.8	3.466	0.9508	0.2795	0.2109	1.325
2141	1681	543.8	229.125	397.0	3.461	0.9509	0.2795	0.2109	1.325
2142	1682	544.1	229.562	397.2	3.456	0.9510	0.2795	0.2110	1.325
2143	1683	544.3	229.999	397.4	3.451	0.9512	0.2795	0.2110	1.325
2144	1684	544.6	230.437	397.7	3.447	0.9513	0.2796	0.2110	1.325
2145	1685	544.9	230.876	397.9	3.442	0.9514	0.2796	0.2110	1.325
2146	1686	545.2	231.315	398.1	3.437	0.9516	0.2796	0.2110	1.325
2147	1687	545.5	231.755	398.3	3.432	0.9517	0.2796	0.2111	1.325
2148	1688	545.7	232.196	398.5	3.427	0.9518	0.2796	0.2111	1.325
2149	1689	546.0	232.637	398.7	3.422	0.9520	0.2797	0.2111	1.325

Air Tables developed by K. W. Lindler - U. S. Naval Academy

Air Tables developed by K. W. Lindler - U. S. Naval Academy								
T	t	h	Pr	u	vr	φ	Cp	Cv	k
°R	°F	Btu/lbm		Btu/lbm		Btu/lbm°R	Btu/lbm°R	Btu/lbm°R	
2150	1690	546.3	233.079	398.9	3.417	0.9521	0.2797	0.2111	1.325
2151	1691	546.6	233.522	399.1	3.412	0.9522	0.2797	0.2111	1.325
2152	1692	546.9	233.965	399.3	3.407	0.9523	0.2797	0.2112	1.325
2153	1693	547.1	234.409	399.6	3.402	0.9525	0.2797	0.2112	1.325
2154	1694	547.4	234.853	399.8	3.397	0.9526	0.2797	0.2112	1.325
2155	1695	547.7	235.299	400.0	3.393	0.9527	0.2798	0.2112	1.325
2156	1696	548.0	235.745	400.2	3.388	0.9529	0.2798	0.2112	1.325
2157	1697	548.3	236.191	400.4	3.383	0.9530	0.2798	0.2113	1.324
2158	1698	548.5	236.639	400.6	3.378	0.9531	0.2798	0.2113	1.324
2159	1699	548.8	237.086	400.8	3.373	0.9533	0.2798	0.2113	1.324
2160	1700	549.1	237.535	401.0	3.368	0.9534	0.2799	0.2113	1.324
2161	1701	549.4	237.984	401.3	3.364	0.9535	0.2799	0.2113	1.324
2162	1702	549.7	238.434	401.5	3.359	0.9536	0.2799	0.2113	1.324
2163	1703	549.9	238.885	401.7	3.354	0.9538	0.2799	0.2114	1.324
2164	1704	550.2	239.336	401.9	3.349	0.9539	0.2799	0.2114	1.324
2165	1705	550.5	239.788	402.1	3.345	0.9540	0.2800	0.2114	1.324
2166	1706	550.8	240.241	402.3	3.340	0.9542	0.2800	0.2114	1.324
2167	1707	551.1	240.694	402.5	3.335	0.9543	0.2800	0.2114	1.324
2168	1708	551.3	241.148	402.7	3.330	0.9544	0.2800	0.2115	1.324
2169	1709	551.6	241.603	402.9	3.326	0.9545	0.2800	0.2115	1.324
2170	1710	551.9	242.058	403.2	3.321	0.9547	0.2800	0.2115	1.324
2171	1711	552.2	242.514	403.4	3.316	0.9548	0.2801	0.2115	1.324
2172	1712	552.5	242.971	403.6	3.311	0.9549	0.2801	0.2115	1.324
2173	1713	552.7	243.429	403.8	3.307	0.9551	0.2801	0.2116	1.324
2174	1714	553.0	243.887	404.0	3.302	0.9552	0.2801	0.2116	1.324
2175	1715	553.3	244.345	404.2	3.297	0.9553	0.2801	0.2116	1.324
2176	1716	553.6	244.805	404.4	3.293	0.9555	0.2802	0.2116	1.324
2177	1717	553.9	245.265	404.6	3.288	0.9556	0.2802	0.2116	1.324
2178	1718	554.1	245.726	404.8	3.283	0.9557	0.2802	0.2116	1.324
2179	1719	554.4	246.187	405.1	3.279	0.9558	0.2802	0.2117	1.324
2180	1720	554.7	246.650	405.3	3.274	0.9560	0.2802	0.2117	1.324
2181	1721	555.0	247.112	405.5	3.269	0.9561	0.2803	0.2117	1.324
2182	1722	555.3	247.576	405.7	3.265	0.9562	0.2803	0.2117	1.324
2183	1723	555.5	248.040	405.9	3.260	0.9564	0.2803	0.2117	1.324
2184	1724	555.8	248.505	406.1	3.256	0.9565	0.2803	0.2118	1.324
2185	1725	556.1	248.971	406.3	3.251	0.9566	0.2803	0.2118	1.324
2186	1726	556.4	249.437	406.5	3.246	0.9567	0.2803	0.2118	1.324
2187	1727	556.7	249.904	406.8	3.242	0.9569	0.2804	0.2118	1.324
2188	1728	556.9	250.372	407.0	3.237	0.9570	0.2804	0.2118	1.324
2189	1729	557.2	250.840	407.2	3.233	0.9571	0.2804	0.2119	1.324
2190	1730	557.5	251.309	407.4	3.228	0.9572	0.2804	0.2119	1.324
2191	1731	557.8	251.779	407.6	3.224	0.9574	0.2804	0.2119	1.324
2192	1732	558.1	252.250	407.8	3.219	0.9575	0.2805	0.2119	1.323
2193	1733	558.4	252.721	408.0	3.214	0.9576	0.2805	0.2119	1.323
2194	1734	558.6	253.193	408.2	3.210	0.9578	0.2805	0.2119	1.323
2195	1735	558.9	253.665	408.4	3.205	0.9579	0.2805	0.2120	1.323
2196	1736	559.2	254.138	408.7	3.201	0.9580	0.2805	0.2120	1.323
2197	1737	559.5	254.612	408.9	3.196	0.9581	0.2806	0.2120	1.323
2198	1738	559.8	255.087	409.1	3.192	0.9583	0.2806	0.2120	1.323
2199	1739	560.0	255.562	409.3	3.187	0.9584	0.2806	0.2120	1.323

Air Tables developed by K. W. Lindler - U. S. Naval Academy									
T	t	h	Pr	u	vr	φ	Cp	Cv	k
°R	°F	Btu/lbm		Btu/lbm		Btu/lbm°R	Btu/lbm°R	Btu/lbm°R	
2200	1740	560.3	256.039	409.5	3.183	0.9585	0.2806	0.2121	1.323
2201	1741	560.6	256.515	409.7	3.178	0.9587	0.2806	0.2121	1.323
2202	1742	560.9	256.993	409.9	3.174	0.9588	0.2806	0.2121	1.323
2203	1743	561.2	257.471	410.1	3.170	0.9589	0.2807	0.2121	1.323
2204	1744	561.4	257.950	410.4	3.165	0.9590	0.2807	0.2121	1.323
2205	1745	561.7	258.429	410.6	3.161	0.9592	0.2807	0.2122	1.323
2206	1746	562.0	258.910	410.8	3.156	0.9593	0.2807	0.2122	1.323
2207	1747	562.3	259.391	411.0	3.152	0.9594	0.2807	0.2122	1.323
2208	1748	562.6	259.872	411.2	3.147	0.9595	0.2808	0.2122	1.323
2209	1749	562.8	260.355	411.4	3.143	0.9597	0.2808	0.2122	1.323
2210	1750	563.1	260.838	411.6	3.139	0.9598	0.2808	0.2122	1.323
2211	1751	563.4	261.322	411.8	3.134	0.9599	0.2808	0.2123	1.323
2212	1752	563.7	261.806	412.1	3.130	0.9601	0.2808	0.2123	1.323
2213	1753	564.0	262.291	412.3	3.125	0.9602	0.2808	0.2123	1.323
2214	1754	564.2	262.777	412.5	3.121	0.9603	0.2809	0.2123	1.323
2215	1755	564.5	263.264	412.7	3.117	0.9604	0.2809	0.2123	1.323
2216	1756	564.8	263.751	412.9	3.112	0.9606	0.2809	0.2124	1.323
2217	1757	565.1	264.239	413.1	3.108	0.9607	0.2809	0.2124	1.323
2218	1758	565.4	264.728	413.3	3.104	0.9608	0.2809	0.2124	1.323
2219	1759	565.6	265.218	413.5	3.099	0.9609	0.2810	0.2124	1.323
2220	1760	565.9	265.708	413.8	3.095	0.9611	0.2810	0.2124	1.323
2221	1761	566.2	266.199	414.0	3.091	0.9612	0.2810	0.2124	1.323
2222	1762	566.5	266.691	414.2	3.086	0.9613	0.2810	0.2125	1.323
2223	1763	566.8	267.183	414.4	3.082	0.9614	0.2810	0.2125	1.323
2224	1764	567.1	267.676	414.6	3.078	0.9616	0.2810	0.2125	1.323
2225	1765	567.3	268.170	414.8	3.073	0.9617	0.2811	0.2125	1.323
2226	1766	567.6	268.664	415.0	3.069	0.9618	0.2811	0.2125	1.323
2227	1767	567.9	269.160	415.2	3.065	0.9620	0.2811	0.2126	1.323
2228	1768	568.2	269.656	415.5	3.061	0.9621	0.2811	0.2126	1.322
2229	1769	568.5	270.152	415.7	3.056	0.9622	0.2811	0.2126	1.322
2230	1770	568.7	270.650	415.9	3.052	0.9623	0.2812	0.2126	1.322
2231	1771	569.0	271.148	416.1	3.048	0.9625	0.2812	0.2126	1.322
2232	1772	569.3	271.647	416.3	3.044	0.9626	0.2812	0.2126	1.322
2233	1773	569.6	272.146	416.5	3.039	0.9627	0.2812	0.2127	1.322
2234	1774	569.9	272.647	416.7	3.035	0.9628	0.2812	0.2127	1.322
2235	1775	570.1	273.148	416.9	3.031	0.9630	0.2812	0.2127	1.322
2236	1776	570.4	273.650	417.2	3.027	0.9631	0.2813	0.2127	1.322
2237	1777	570.7	274.152	417.4	3.023	0.9632	0.2813	0.2127	1.322
2238	1778	571.0	274.655	417.6	3.018	0.9633	0.2813	0.2128	1.322
2239	1779	571.3	275.159	417.8	3.014	0.9635	0.2813	0.2128	1.322
2240	1780	571.6	275.664	418.0	3.010	0.9636	0.2813	0.2128	1.322
2241	1781	571.8	276.170	418.2	3.006	0.9637	0.2814	0.2128	1.322
2242	1782	572.1	276.676	418.4	3.002	0.9638	0.2814	0.2128	1.322
2243	1783	572.4	277.183	418.6	2.998	0.9640	0.2814	0.2128	1.322
2244	1784	572.7	277.690	418.9	2.993	0.9641	0.2814	0.2129	1.322
2245	1785	573.0	278.199	419.1	2.989	0.9642	0.2814	0.2129	1.322
2246	1786	573.2	278.708	419.3	2.985	0.9643	0.2814	0.2129	1.322
2247	1787	573.5	279.218	419.5	2.981	0.9645	0.2815	0.2129	1.322
2248	1788	573.8	279.728	419.7	2.977	0.9646	0.2815	0.2129	1.322
2249	1789	574.1	280.240	419.9	2.973	0.9647	0.2815	0.2130	1.322

Air Tables developed by K. W. Lindler - U. S. Naval Academy								
T	t	h	Pr	u	vr	φ	Cp	Cv	k
°R	°F	Btu/lbm		Btu/lbm		Btu/lbm°R	Btu/lbm°R	Btu/lbm°R	
2250	1790	574.4	280.752	420.1	2.969	0.9648	0.2815	0.2130	1.322
2251	1791	574.6	281.265	420.3	2.965	0.9650	0.2815	0.2130	1.322
2252	1792	574.9	281.778	420.6	2.961	0.9651	0.2816	0.2130	1.322
2253	1793	575.2	282.292	420.8	2.956	0.9652	0.2816	0.2130	1.322
2254	1794	575.5	282.807	421.0	2.952	0.9653	0.2816	0.2130	1.322
2255	1795	575.8	283.323	421.2	2.948	0.9655	0.2816	0.2131	1.322
2256	1796	576.1	283.840	421.4	2.944	0.9656	0.2816	0.2131	1.322
2257	1797	576.3	284.357	421.6	2.940	0.9657	0.2816	0.2131	1.322
2258	1798	576.6	284.875	421.8	2.936	0.9658	0.2817	0.2131	1.322
2259	1799	576.9	285.394	422.0	2.932	0.9660	0.2817	0.2131	1.322
2260	1800	577.2	285.913	422.3	2.928	0.9661	0.2817	0.2132	1.322
2261	1801	577.5	286.434	422.5	2.924	0.9662	0.2817	0.2132	1.322
2262	1802	577.7	286.955	422.7	2.920	0.9663	0.2817	0.2132	1.322
2263	1803	578.0	287.476	422.9	2.916	0.9665	0.2818	0.2132	1.322
2264	1804	578.3	287.999	423.1	2.912	0.9666	0.2818	0.2132	1.321
2265	1805	578.6	288.522	423.3	2.908	0.9667	0.2818	0.2132	1.321
2266	1806	578.9	289.046	423.5	2.904	0.9668	0.2818	0.2133	1.321
2267	1807	579.2	289.571	423.8	2.900	0.9670	0.2818	0.2133	1.321
2268	1808	579.4	290.096	424.0	2.896	0.9671	0.2818	0.2133	1.321
2269	1809	579.7	290.623	424.2	2.892	0.9672	0.2819	0.2133	1.321
2270	1810	580.0	291.150	424.4	2.888	0.9673	0.2819	0.2133	1.321
2271	1811	580.3	291.678	424.6	2.884	0.9675	0.2819	0.2133	1.321
2272	1812	580.6	292.206	424.8	2.880	0.9676	0.2819	0.2134	1.321
2273	1813	580.8	292.735	425.0	2.876	0.9677	0.2819	0.2134	1.321
2274	1814	581.1	293.266	425.2	2.872	0.9678	0.2820	0.2134	1.321
2275	1815	581.4	293.796	425.5	2.868	0.9680	0.2820	0.2134	1.321
2276	1816	581.7	294.328	425.7	2.864	0.9681	0.2820	0.2134	1.321
2277	1817	582.0	294.860	425.9	2.861	0.9682	0.2820	0.2135	1.321
2278	1818	582.3	295.393	426.1	2.857	0.9683	0.2820	0.2135	1.321
2279	1819	582.5	295.927	426.3	2.853	0.9685	0.2820	0.2135	1.321
2280	1820	582.8	296.462	426.5	2.849	0.9686	0.2821	0.2135	1.321
2281	1821	583.1	296.997	426.7	2.845	0.9687	0.2821	0.2135	1.321
2282	1822	583.4	297.533	427.0	2.841	0.9688	0.2821	0.2135	1.321
2283	1823	583.7	298.070	427.2	2.837	0.9689	0.2821	0.2136	1.321
2284	1824	583.9	298.608	427.4	2.833	0.9691	0.2821	0.2136	1.321
2285	1825	584.2	299.147	427.6	2.829	0.9692	0.2821	0.2136	1.321
2286	1826	584.5	299.686	427.8	2.826	0.9693	0.2822	0.2136	1.321
2287	1827	584.8	300.226	428.0	2.822	0.9694	0.2822	0.2136	1.321
2288	1828	585.1	300.767	428.2	2.818	0.9696	0.2822	0.2136	1.321
2289	1829	585.4	301.308	428.5	2.814	0.9697	0.2822	0.2137	1.321
2290	1830	585.6	301.850	428.7	2.810	0.9698	0.2822	0.2137	1.321
2291	1831	585.9	302.394	428.9	2.806	0.9699	0.2823	0.2137	1.321
2292	1832	586.2	302.937	429.1	2.803	0.9701	0.2823	0.2137	1.321
2293	1833	586.5	303.482	429.3	2.799	0.9702	0.2823	0.2137	1.321
2294	1834	586.8	304.027	429.5	2.795	0.9703	0.2823	0.2138	1.321
2295	1835	587.1	304.574	429.7	2.791	0.9704	0.2823	0.2138	1.321
2296	1836	587.3	305.121	429.9	2.787	0.9705	0.2823	0.2138	1.321
2297	1837	587.6	305.668	430.2	2.784	0.9707	0.2824	0.2138	1.321
2298	1838	587.9	306.217	430.4	2.780	0.9708	0.2824	0.2138	1.321
2299	1839	588.2	306.766	430.6	2.776	0.9709	0.2824	0.2138	1.321

Air Tables developed by K. W. Lindler - U. S. Naval Academy									
T	t	h	Pr	u	vr	φ	Cp	Cv	k
°R	°F	Btu/lbm		Btu/lbm		Btu/lbm°R	Btu/lbm°R	Btu/lbm°R	
2300	1840	588.5	307.316	430.8	2.772	0.9710	0.2824	0.2139	1.321
2301	1841	588.7	307.867	431.0	2.769	0.9712	0.2824	0.2139	1.321
2302	1842	589.0	308.419	431.2	2.765	0.9713	0.2824	0.2139	1.320
2303	1843	589.3	308.971	431.4	2.761	0.9714	0.2825	0.2139	1.320
2304	1844	589.6	309.524	431.7	2.757	0.9715	0.2825	0.2139	1.320
2305	1845	589.9	310.078	431.9	2.754	0.9717	0.2825	0.2139	1.320
2306	1846	590.2	310.633	432.1	2.750	0.9718	0.2825	0.2140	1.320
2307	1847	590.4	311.189	432.3	2.746	0.9719	0.2825	0.2140	1.320
2308	1848	590.7	311.745	432.5	2.742	0.9720	0.2826	0.2140	1.320
2309	1849	591.0	312.302	432.7	2.739	0.9721	0.2826	0.2140	1.320
2310	1850	591.3	312.860	432.9	2.735	0.9723	0.2826	0.2140	1.320
2311	1851	591.6	313.419	433.2	2.731	0.9724	0.2826	0.2141	1.320
2312	1852	591.9	313.978	433.4	2.728	0.9725	0.2826	0.2141	1.320
2313	1853	592.1	314.539	433.6	2.724	0.9726	0.2826	0.2141	1.320
2314	1854	592.4	315.100	433.8	2.720	0.9728	0.2827	0.2141	1.320
2315	1855	592.7	315.662	434.0	2.717	0.9729	0.2827	0.2141	1.320
2316	1856	593.0	316.224	434.2	2.713	0.9730	0.2827	0.2141	1.320
2317	1857	593.3	316.788	434.4	2.709	0.9731	0.2827	0.2142	1.320
2318	1858	593.6	317.352	434.7	2.706	0.9732	0.2827	0.2142	1.320
2319	1859	593.8	317.917	434.9	2.702	0.9734	0.2827	0.2142	1.320
2320	1860	594.1	318.483	435.1	2.698	0.9735	0.2828	0.2142	1.320
2321	1861	594.4	319.050	435.3	2.695	0.9736	0.2828	0.2142	1.320
2322	1862	594.7	319.617	435.5	2.691	0.9737	0.2828	0.2142	1.320
2323	1863	595.0	320.185	435.7	2.688	0.9739	0.2828	0.2143	1.320
2324	1864	595.2	320.755	435.9	2.684	0.9740	0.2828	0.2143	1.320
2325	1865	595.5	321.324	436.2	2.680	0.9741	0.2828	0.2143	1.320
2326	1866	595.8	321.895	436.4	2.677	0.9742	0.2829	0.2143	1.320
2327	1867	596.1	322.466	436.6	2.673	0.9743	0.2829	0.2143	1.320
2328	1868	596.4	323.039	436.8	2.670	0.9745	0.2829	0.2143	1.320
2329	1869	596.7	323.612	437.0	2.666	0.9746	0.2829	0.2144	1.320
2330	1870	596.9	324.186	437.2	2.662	0.9747	0.2829	0.2144	1.320
2331	1871	597.2	324.760	437.4	2.659	0.9748	0.2830	0.2144	1.320
2332	1872	597.5	325.336	437.7	2.655	0.9749	0.2830	0.2144	1.320
2333	1873	597.8	325.912	437.9	2.652	0.9751	0.2830	0.2144	1.320
2334	1874	598.1	326.489	438.1	2.648	0.9752	0.2830	0.2145	1.320
2335	1875	598.4	327.067	438.3	2.645	0.9753	0.2830	0.2145	1.320
2336	1876	598.6	327.646	438.5	2.641	0.9754	0.2830	0.2145	1.320
2337	1877	598.9	328.225	438.7	2.638	0.9756	0.2831	0.2145	1.320
2338	1878	599.2	328.806	438.9	2.634	0.9757	0.2831	0.2145	1.320
2339	1879	599.5	329.387	439.2	2.630	0.9758	0.2831	0.2145	1.320
2340	1880	599.8	329.969	439.4	2.627	0.9759	0.2831	0.2146	1.319
2341	1881	600.1	330.552	439.6	2.623	0.9760	0.2831	0.2146	1.319
2342	1882	600.3	331.135	439.8	2.620	0.9762	0.2831	0.2146	1.319
2343	1883	600.6	331.720	440.0	2.616	0.9763	0.2832	0.2146	1.319
2344	1884	600.9	332.305	440.2	2.613	0.9764	0.2832	0.2146	1.319
2345	1885	601.2	332.891	440.4	2.609	0.9765	0.2832	0.2146	1.319
2346	1886	601.5	333.478	440.7	2.606	0.9766	0.2832	0.2147	1.319
2347	1887	601.8	334.066	440.9	2.602	0.9768	0.2832	0.2147	1.319
2348	1888	602.0	334.654	441.1	2.599	0.9769	0.2832	0.2147	1.319
2349	1889	602.3	335.243	441.3	2.596	0.9770	0.2833	0.2147	1.319

Air Tables developed by K. W. Lindler - U. S. Naval Academy									
T	t	h	Pr	u	vr	φ	Cp	Cv	k
°R	°F	Btu/lbm		Btu/lbm		Btu/lbm°R	Btu/lbm°R	Btu/lbm°R	
2350	1890	602.6	335.834	441.5	2.592	0.9771	0.2833	0.2147	1.319
2351	1891	602.9	336.425	441.7	2.589	0.9772	0.2833	0.2147	1.319
2352	1892	603.2	337.016	441.9	2.585	0.9774	0.2833	0.2148	1.319
2353	1893	603.5	337.609	442.2	2.582	0.9775	0.2833	0.2148	1.319
2354	1894	603.7	338.202	442.4	2.578	0.9776	0.2833	0.2148	1.319
2355	1895	604.0	338.797	442.6	2.575	0.9777	0.2834	0.2148	1.319
2356	1896	604.3	339.392	442.8	2.571	0.9778	0.2834	0.2148	1.319
2357	1897	604.6	339.988	443.0	2.568	0.9780	0.2834	0.2148	1.319
2358	1898	604.9	340.584	443.2	2.565	0.9781	0.2834	0.2149	1.319
2359	1899	605.2	341.182	443.5	2.561	0.9782	0.2834	0.2149	1.319
2360	1900	605.4	341.780	443.7	2.558	0.9783	0.2834	0.2149	1.319
2361	1901	605.7	342.380	443.9	2.554	0.9784	0.2835	0.2149	1.319
2362	1902	606.0	342.980	444.1	2.551	0.9786	0.2835	0.2149	1.319
2363	1903	606.3	343.581	444.3	2.548	0.9787	0.2835	0.2150	1.319
2364	1904	606.6	344.182	444.5	2.544	0.9788	0.2835	0.2150	1.319
2365	1905	606.9	344.785	444.7	2.541	0.9789	0.2835	0.2150	1.319
2366	1906	607.1	345.389	445.0	2.538	0.9790	0.2836	0.2150	1.319
2367	1907	607.4	345.993	445.2	2.534	0.9792	0.2836	0.2150	1.319
2368	1908	607.7	346.598	445.4	2.531	0.9793	0.2836	0.2150	1.319
2369	1909	608.0	347.204	445.6	2.527	0.9794	0.2836	0.2151	1.319
2370	1910	608.3	347.811	445.8	2.524	0.9795	0.2836	0.2151	1.319
2371	1911	608.6	348.418	446.0	2.521	0.9796	0.2836	0.2151	1.319
2372	1912	608.8	349.027	446.2	2.517	0.9798	0.2837	0.2151	1.319
2373	1913	609.1	349.636	446.5	2.514	0.9799	0.2837	0.2151	1.319
2374	1914	609.4	350.246	446.7	2.511	0.9800	0.2837	0.2151	1.319
2375	1915	609.7	350.857	446.9	2.507	0.9801	0.2837	0.2152	1.319
2376	1916	610.0	351.469	447.1	2.504	0.9802	0.2837	0.2152	1.319
2377	1917	610.3	352.082	447.3	2.501	0.9804	0.2837	0.2152	1.319
2378	1918	610.5	352.695	447.5	2.498	0.9805	0.2838	0.2152	1.319
2379	1919	610.8	353.309	447.8	2.494	0.9806	0.2838	0.2152	1.319
2380	1920	611.1	353.925	448.0	2.491	0.9807	0.2838	0.2152	1.318
2381	1921	611.4	354.541	448.2	2.488	0.9808	0.2838	0.2153	1.318
2382	1922	611.7	355.158	448.4	2.484	0.9810	0.2838	0.2153	1.318
2383	1923	612.0	355.775	448.6	2.481	0.9811	0.2838	0.2153	1.318
2384	1924	612.2	356.394	448.8	2.478	0.9812	0.2839	0.2153	1.318
2385	1925	612.5	357.013	449.0	2.475	0.9813	0.2839	0.2153	1.318
2386	1926	612.8	357.634	449.3	2.471	0.9814	0.2839	0.2153	1.318
2387	1927	613.1	358.255	449.5	2.468	0.9816	0.2839	0.2154	1.318
2388	1928	613.4	358.877	449.7	2.465	0.9817	0.2839	0.2154	1.318
2389	1929	613.7	359.500	449.9	2.462	0.9818	0.2839	0.2154	1.318
2390	1930	614.0	360.124	450.1	2.458	0.9819	0.2840	0.2154	1.318
2391	1931	614.2	360.748	450.3	2.455	0.9820	0.2840	0.2154	1.318
2392	1932	614.5	361.374	450.6	2.452	0.9821	0.2840	0.2154	1.318
2393	1933	614.8	362.000	450.8	2.449	0.9823	0.2840	0.2155	1.318
2394	1934	615.1	362.627	451.0	2.446	0.9824	0.2840	0.2155	1.318
2395	1935	615.4	363.255	451.2	2.442	0.9825	0.2840	0.2155	1.318
2396	1936	615.7	363.884	451.4	2.439	0.9826	0.2841	0.2155	1.318
2397	1937	615.9	364.514	451.6	2.436	0.9827	0.2841	0.2155	1.318
2398	1938	616.2	365.145	451.8	2.433	0.9829	0.2841	0.2155	1.318
2399	1939	616.5	365.776	452.1	2.430	0.9830	0.2841	0.2156	1.318

Air Tables developed by K. W. Lindler - U. S. Naval Academy									
T	t	h	Pr	u	vr	φ	Cp	Cv	k
°R	°F	Btu/lbm		Btu/lbm		Btu/lbm°R	Btu/lbm°R	Btu/lbm°R	
2400	1940	616.8	366.408	452.3	2.426	0.9831	0.2841	0.2156	1.318
2401	1941	617.1	367.042	452.5	2.423	0.9832	0.2841	0.2156	1.318
2402	1942	617.4	367.676	452.7	2.420	0.9833	0.2842	0.2156	1.318
2403	1943	617.6	368.311	452.9	2.417	0.9835	0.2842	0.2156	1.318
2404	1944	617.9	368.946	453.1	2.414	0.9836	0.2842	0.2156	1.318
2405	1945	618.2	369.583	453.4	2.411	0.9837	0.2842	0.2157	1.318
2406	1946	618.5	370.221	453.6	2.407	0.9838	0.2842	0.2157	1.318
2407	1947	618.8	370.859	453.8	2.404	0.9839	0.2842	0.2157	1.318
2408	1948	619.1	371.498	454.0	2.401	0.9840	0.2843	0.2157	1.318
2409	1949	619.4	372.139	454.2	2.398	0.9842	0.2843	0.2157	1.318
2410	1950	619.6	372.780	454.4	2.395	0.9843	0.2843	0.2157	1.318
2411	1951	619.9	373.422	454.6	2.392	0.9844	0.2843	0.2158	1.318
2412	1952	620.2	374.064	454.9	2.389	0.9845	0.2843	0.2158	1.318
2413	1953	620.5	374.708	455.1	2.385	0.9846	0.2843	0.2158	1.318
2414	1954	620.8	375.353	455.3	2.382	0.9847	0.2844	0.2158	1.318
2415	1955	621.1	375.998	455.5	2.379	0.9849	0.2844	0.2158	1.318
2416	1956	621.3	376.644	455.7	2.376	0.9850	0.2844	0.2158	1.318
2417	1957	621.6	377.292	455.9	2.373	0.9851	0.2844	0.2159	1.318
2418	1958	621.9	377.940	456.2	2.370	0.9852	0.2844	0.2159	1.318
2419	1959	622.2	378.589	456.4	2.367	0.9853	0.2844	0.2159	1.318
2420	1960	622.5	379.239	456.6	2.364	0.9855	0.2845	0.2159	1.317
2421	1961	622.8	379.889	456.8	2.361	0.9856	0.2845	0.2159	1.317
2422	1962	623.0	380.541	457.0	2.358	0.9857	0.2845	0.2159	1.317
2423	1963	623.3	381.193	457.2	2.355	0.9858	0.2845	0.2160	1.317
2424	1964	623.6	381.847	457.5	2.352	0.9859	0.2845	0.2160	1.317
2425	1965	623.9	382.501	457.7	2.348	0.9860	0.2845	0.2160	1.317
2426	1966	624.2	383.156	457.9	2.345	0.9862	0.2846	0.2160	1.317
2427	1967	624.5	383.812	458.1	2.342	0.9863	0.2846	0.2160	1.317
2428	1968	624.8	384.469	458.3	2.339	0.9864	0.2846	0.2160	1.317
2429	1969	625.0	385.127	458.5	2.336	0.9865	0.2846	0.2161	1.317
2430	1970	625.3	385.786	458.8	2.333	0.9866	0.2846	0.2161	1.317
2431	1971	625.6	386.445	459.0	2.330	0.9867	0.2846	0.2161	1.317
2432	1972	625.9	387.106	459.2	2.327	0.9869	0.2847	0.2161	1.317
2433	1973	626.2	387.767	459.4	2.324	0.9870	0.2847	0.2161	1.317
2434	1974	626.5	388.430	459.6	2.321	0.9871	0.2847	0.2161	1.317
2435	1975	626.7	389.093	459.8	2.318	0.9872	0.2847	0.2162	1.317
2436	1976	627.0	389.757	460.0	2.315	0.9873	0.2847	0.2162	1.317
2437	1977	627.3	390.422	460.3	2.312	0.9874	0.2847	0.2162	1.317
2438	1978	627.6	391.088	460.5	2.309	0.9876	0.2848	0.2162	1.317
2439	1979	627.9	391.755	460.7	2.306	0.9877	0.2848	0.2162	1.317
2440	1980	628.2	392.422	460.9	2.303	0.9878	0.2848	0.2162	1.317
2441	1981	628.5	393.091	461.1	2.300	0.9879	0.2848	0.2163	1.317
2442	1982	628.7	393.761	461.3	2.297	0.9880	0.2848	0.2163	1.317
2443	1983	629.0	394.431	461.6	2.294	0.9881	0.2848	0.2163	1.317
2444	1984	629.3	395.102	461.8	2.291	0.9883	0.2848	0.2163	1.317
2445	1985	629.6	395.775	462.0	2.288	0.9884	0.2849	0.2163	1.317
2446	1986	629.9	396.448	462.2	2.285	0.9885	0.2849	0.2163	1.317
2447	1987	630.2	397.122	462.4	2.283	0.9886	0.2849	0.2163	1.317
2448	1988	630.4	397.797	462.6	2.280	0.9887	0.2849	0.2164	1.317
2449	1989	630.7	398.472	462.9	2.277	0.9888	0.2849	0.2164	1.317

Air Tables developed by K. W. Lindler - U. S. Naval Academy								
T	t	h	Pr	u	vr	φ	Cp	Cv	k
°R	°F	Btu/lbm		Btu/lbm		Btu/lbm°R	Btu/lbm°R	Btu/lbm°R	
2450	1990	631.0	399.149	463.1	2.274	0.9890	0.2849	0.2164	1.317
2451	1991	631.3	399.827	463.3	2.271	0.9891	0.2850	0.2164	1.317
2452	1992	631.6	400.506	463.5	2.268	0.9892	0.2850	0.2164	1.317
2453	1993	631.9	401.185	463.7	2.265	0.9893	0.2850	0.2164	1.317
2454	1994	632.2	401.865	463.9	2.262	0.9894	0.2850	0.2165	1.317
2455	1995	632.4	402.547	464.2	2.259	0.9895	0.2850	0.2165	1.317
2456	1996	632.7	403.229	464.4	2.256	0.9897	0.2850	0.2165	1.317
2457	1997	633.0	403.912	464.6	2.253	0.9898	0.2851	0.2165	1.317
2458	1998	633.3	404.596	464.8	2.250	0.9899	0.2851	0.2165	1.317
2459	1999	633.6	405.281	465.0	2.248	0.9900	0.2851	0.2165	1.317
2460	2000	633.9	405.967	465.2	2.245	0.9901	0.2851	0.2166	1.317
2461	2001	634.2	406.654	465.5	2.242	0.9902	0.2851	0.2166	1.317
2462	2002	634.4	407.342	465.7	2.239	0.9904	0.2851	0.2166	1.316
2463	2003	634.7	408.030	465.9	2.236	0.9905	0.2852	0.2166	1.316
2464	2004	635.0	408.720	466.1	2.233	0.9906	0.2852	0.2166	1.316
2465	2005	635.3	409.411	466.3	2.230	0.9907	0.2852	0.2166	1.316
2466	2006	635.6	410.102	466.5	2.227	0.9908	0.2852	0.2167	1.316
2467	2007	635.9	410.794	466.8	2.225	0.9909	0.2852	0.2167	1.316
2468	2008	636.2	411.488	467.0	2.222	0.9910	0.2852	0.2167	1.316
2469	2009	636.4	412.182	467.2	2.219	0.9912	0.2853	0.2167	1.316
2470	2010	636.7	412.877	467.4	2.216	0.9913	0.2853	0.2167	1.316
2471	2011	637.0	413.573	467.6	2.213	0.9914	0.2853	0.2167	1.316
2472	2012	637.3	414.270	467.8	2.210	0.9915	0.2853	0.2168	1.316
2473	2013	637.6	414.968	468.1	2.208	0.9916	0.2853	0.2168	1.316
2474	2014	637.9	415.667	468.3	2.205	0.9917	0.2853	0.2168	1.316
2475	2015	638.1	416.367	468.5	2.202	0.9919	0.2853	0.2168	1.316
2476	2016	638.4	417.068	468.7	2.199	0.9920	0.2854	0.2168	1.316
2477	2017	638.7	417.769	468.9	2.196	0.9921	0.2854	0.2168	1.316
2478	2018	639.0	418.472	469.1	2.194	0.9922	0.2854	0.2168	1.316
2479	2019	639.3	419.176	469.4	2.191	0.9923	0.2854	0.2169	1.316
2480	2020	639.6	419.880	469.6	2.188	0.9924	0.2854	0.2169	1.316
2481	2021	639.9	420.585	469.8	2.185	0.9925	0.2854	0.2169	1.316
2482	2022	640.1	421.292	470.0	2.182	0.9927	0.2855	0.2169	1.316
2483	2023	640.4	421.999	470.2	2.180	0.9928	0.2855	0.2169	1.316
2484	2024	640.7	422.707	470.4	2.177	0.9929	0.2855	0.2169	1.316
2485	2025	641.0	423.417	470.7	2.174	0.9930	0.2855	0.2170	1.316
2486	2026	641.3	424.127	470.9	2.171	0.9931	0.2855	0.2170	1.316
2487	2027	641.6	424.838	471.1	2.168	0.9932	0.2855	0.2170	1.316
2488	2028	641.9	425.550	471.3	2.166	0.9934	0.2856	0.2170	1.316
2489	2029	642.1	426.263	471.5	2.163	0.9935	0.2856	0.2170	1.316
2490	2030	642.4	426.977	471.7	2.160	0.9936	0.2856	0.2170	1.316
2491	2031	642.7	427.692	472.0	2.157	0.9937	0.2856	0.2171	1.316
2492	2032	643.0	428.408	472.2	2.155	0.9938	0.2856	0.2171	1.316
2493	2033	643.3	429.124	472.4	2.152	0.9939	0.2856	0.2171	1.316
2494	2034	643.6	429.842	472.6	2.149	0.9940	0.2857	0.2171	1.316
2495	2035	643.9	430.561	472.8	2.147	0.9942	0.2857	0.2171	1.316
2496	2036	644.1	431.280	473.0	2.144	0.9943	0.2857	0.2171	1.316
2497	2037	644.4	432.001	473.3	2.141	0.9944	0.2857	0.2172	1.316
2498	2038	644.7	432.723	473.5	2.138	0.9945	0.2857	0.2172	1.316
2499	2039	645.0	433.445	473.7	2.136	0.9946	0.2857	0.2172	1.316

T	t	h	Pr	u	vr	φ	Cp	Cv	k
°R	°F	Btu/lbm		Btu/lbm		Btu/lbm°R	Btu/lbm°R	Btu/lbm°R	
2500	2040	645.3	434.168	473.9	2.133	0.9947	0.2857	0.2172	1.316
2501	2041	645.6	434.893	474.1	2.130	0.9948	0.2858	0.2172	1.316
2502	2042	645.9	435.618	474.3	2.128	0.9950	0.2858	0.2172	1.316
2503	2043	646.1	436.345	474.6	2.125	0.9951	0.2858	0.2172	1.316
2504	2044	646.4	437.072	474.8	2.122	0.9952	0.2858	0.2173	1.316
2505	2045	646.7	437.800	475.0	2.120	0.9953	0.2858	0.2173	1.315
2506	2046	647.0	438.529	475.2	2.117	0.9954	0.2858	0.2173	1.315
2507	2047	647.3	439.260	475.4	2.114	0.9955	0.2859	0.2173	1.315
2508	2048	647.6	439.991	475.7	2.111	0.9956	0.2859	0.2173	1.315
2509	2049	647.9	440.723	475.9	2.109	0.9958	0.2859	0.2173	1.315
2510	2050	648.1	441.456	476.1	2.106	0.9959	0.2859	0.2174	1.315
2511	2051	648.4	442.190	476.3	2.104	0.9960	0.2859	0.2174	1.315
2512	2052	648.7	442.925	476.5	2.101	0.9961	0.2859	0.2174	1.315
2513	2053	649.0	443.661	476.7	2.098	0.9962	0.2860	0.2174	1.315
2514	2054	649.3	444.398	477.0	2.096	0.9963	0.2860	0.2174	1.315
2515	2055	649.6	445.136	477.2	2.093	0.9964	0.2860	0.2174	1.315
2516	2056	649.9	445.875	477.4	2.090	0.9966	0.2860	0.2175	1.315
2517	2057	650.1	446.615	477.6	2.088	0.9967	0.2860	0.2175	1.315
2518	2058	650.4	447.355	477.8	2.085	0.9968	0.2860	0.2175	1.315
2519	2059	650.7	448.097	478.0	2.082	0.9969	0.2860	0.2175	1.315
2520	2060	651.0	448.840	478.3	2.080	0.9970	0.2861	0.2175	1.315
2521	2061	651.3	449.584	478.5	2.077	0.9971	0.2861	0.2175	1.315
2522	2062	651.6	450.328	478.7	2.075	0.9972	0.2861	0.2175	1.315
2523	2063	651.9	451.074	478.9	2.072	0.9973	0.2861	0.2176	1.315
2524	2064	652.1	451.821	479.1	2.069	0.9975	0.2861	0.2176	1.315
2525	2065	652.4	452.569	479.3	2.067	0.9976	0.2861	0.2176	1.315
2526	2066	652.7	453.317	479.6	2.064	0.9977	0.2862	0.2176	1.315
2527	2067	653.0	454.067	479.8	2.062	0.9978	0.2862	0.2176	1.315
2528	2068	653.3	454.818	480.0	2.059	0.9979	0.2862	0.2176	1.315
2529	2069	653.6	455.569	480.2	2.056	0.9980	0.2862	0.2177	1.315
2530	2070	653.9	456.322	480.4	2.054	0.9981	0.2862	0.2177	1.315
2531	2071	654.2	457.075	480.7	2.051	0.9983	0.2862	0.2177	1.315
2532	2072	654.4	457.830	480.9	2.049	0.9984	0.2862	0.2177	1.315
2533	2073	654.7	458.585	481.1	2.046	0.9985	0.2863	0.2177	1.315
2534	2074	655.0	459.342	481.3	2.044	0.9986	0.2863	0.2177	1.315
2535	2075	655.3	460.100	481.5	2.041	0.9987	0.2863	0.2177	1.315
2536	2076	655.6	460.858	481.7	2.038	0.9988	0.2863	0.2178	1.315
2537	2077	655.9	461.618	482.0	2.036	0.9989	0.2863	0.2178	1.315
2538	2078	656.2	462.378	482.2	2.033	0.9990	0.2863	0.2178	1.315
2539	2079	656.4	463.140	482.4	2.031	0.9992	0.2864	0.2178	1.315
2540	2080	656.7	463.902	482.6	2.028	0.9993	0.2864	0.2178	1.315
2541	2081	657.0	464.666	482.8	2.026	0.9994	0.2864	0.2178	1.315
2542	2082	657.3	465.430	483.1	2.023	0.9995	0.2864	0.2179	1.315
2543	2083	657.6	466.196	483.3	2.021	0.9996	0.2864	0.2179	1.315
2544	2084	657.9	466.962	483.5	2.018	0.9997	0.2864	0.2179	1.315
2545	2085	658.2	467.730	483.7	2.016	0.9998	0.2865	0.2179	1.315
2546	2086	658.4	468.498	483.9	2.013	0.9999	0.2865	0.2179	1.315
2547	2087	658.7	469.268	484.1	2.011	1.0001	0.2865	0.2179	1.315
2548	2088	659.0	470.038	484.4	2.008	1.0002	0.2865	0.2179	1.315
2549	2089	659.3	470.810	484.6	2.006	1.0003	0.2865	0.2180	1.314

The heading text: Air Tables developed by K. W. Lindler - U. S. Naval Academy

| Air Tables developed by K. W. Lindler - U. S. Naval Academy ||||||||||
| T | t | h | Pr | u | vr | φ | Cp | Cv | k |
°R	°F	Btu/lbm		Btu/lbm		Btu/lbm°R	Btu/lbm°R	Btu/lbm°R	
2550	2090	659.6	471.582	484.8	2.003	1.0004	0.2865	0.2180	1.314
2551	2091	659.9	472.356	485.0	2.001	1.0005	0.2865	0.2180	1.314
2552	2092	660.2	473.130	485.2	1.998	1.0006	0.2866	0.2180	1.314
2553	2093	660.5	473.906	485.4	1.996	1.0007	0.2866	0.2180	1.314
2554	2094	660.7	474.682	485.7	1.993	1.0008	0.2866	0.2180	1.314
2555	2095	661.0	475.460	485.9	1.991	1.0010	0.2866	0.2181	1.314
2556	2096	661.3	476.238	486.1	1.988	1.0011	0.2866	0.2181	1.314
2557	2097	661.6	477.018	486.3	1.986	1.0012	0.2866	0.2181	1.314
2558	2098	661.9	477.798	486.5	1.983	1.0013	0.2867	0.2181	1.314
2559	2099	662.2	478.580	486.8	1.981	1.0014	0.2867	0.2181	1.314
2560	2100	662.5	479.363	487.0	1.978	1.0015	0.2867	0.2181	1.314
2561	2101	662.7	480.146	487.2	1.976	1.0016	0.2867	0.2181	1.314
2562	2102	663.0	480.931	487.4	1.973	1.0017	0.2867	0.2182	1.314
2563	2103	663.3	481.716	487.6	1.971	1.0019	0.2867	0.2182	1.314
2564	2104	663.6	482.503	487.8	1.968	1.0020	0.2867	0.2182	1.314
2565	2105	663.9	483.291	488.1	1.966	1.0021	0.2868	0.2182	1.314
2566	2106	664.2	484.080	488.3	1.964	1.0022	0.2868	0.2182	1.314
2567	2107	664.5	484.869	488.5	1.961	1.0023	0.2868	0.2182	1.314
2568	2108	664.8	485.660	488.7	1.959	1.0024	0.2868	0.2183	1.314
2569	2109	665.0	486.452	488.9	1.956	1.0025	0.2868	0.2183	1.314
2570	2110	665.3	487.245	489.2	1.954	1.0026	0.2868	0.2183	1.314
2571	2111	665.6	488.038	489.4	1.951	1.0027	0.2869	0.2183	1.314
2572	2112	665.9	488.833	489.6	1.949	1.0029	0.2869	0.2183	1.314
2573	2113	666.2	489.629	489.8	1.947	1.0030	0.2869	0.2183	1.314
2574	2114	666.5	490.426	490.0	1.944	1.0031	0.2869	0.2183	1.314
2575	2115	666.8	491.224	490.2	1.942	1.0032	0.2869	0.2184	1.314
2576	2116	667.0	492.023	490.5	1.939	1.0033	0.2869	0.2184	1.314
2577	2117	667.3	492.823	490.7	1.937	1.0034	0.2869	0.2184	1.314
2578	2118	667.6	493.624	490.9	1.935	1.0035	0.2870	0.2184	1.314
2579	2119	667.9	494.426	491.1	1.932	1.0036	0.2870	0.2184	1.314
2580	2120	668.2	495.229	491.3	1.930	1.0037	0.2870	0.2184	1.314
2581	2121	668.5	496.033	491.6	1.927	1.0039	0.2870	0.2185	1.314
2582	2122	668.8	496.838	491.8	1.925	1.0040	0.2870	0.2185	1.314
2583	2123	669.1	497.645	492.0	1.923	1.0041	0.2870	0.2185	1.314
2584	2124	669.3	498.452	492.2	1.920	1.0042	0.2870	0.2185	1.314
2585	2125	669.6	499.260	492.4	1.918	1.0043	0.2871	0.2185	1.314
2586	2126	669.9	500.070	492.7	1.916	1.0044	0.2871	0.2185	1.314
2587	2127	670.2	500.880	492.9	1.913	1.0045	0.2871	0.2185	1.314
2588	2128	670.5	501.691	493.1	1.911	1.0046	0.2871	0.2186	1.314
2589	2129	670.8	502.504	493.3	1.909	1.0047	0.2871	0.2186	1.314
2590	2130	671.1	503.317	493.5	1.906	1.0049	0.2871	0.2186	1.314
2591	2131	671.4	504.132	493.7	1.904	1.0050	0.2872	0.2186	1.314
2592	2132	671.6	504.947	494.0	1.901	1.0051	0.2872	0.2186	1.314
2593	2133	671.9	505.764	494.2	1.899	1.0052	0.2872	0.2186	1.314
2594	2134	672.2	506.582	494.4	1.897	1.0053	0.2872	0.2186	1.314
2595	2135	672.5	507.400	494.6	1.894	1.0054	0.2872	0.2187	1.313
2596	2136	672.8	508.220	494.8	1.892	1.0055	0.2872	0.2187	1.313
2597	2137	673.1	509.041	495.1	1.890	1.0056	0.2872	0.2187	1.313
2598	2138	673.4	509.863	495.3	1.888	1.0057	0.2873	0.2187	1.313
2599	2139	673.7	510.686	495.5	1.885	1.0059	0.2873	0.2187	1.313

Air Tables developed by K. W. Lindler - U. S. Naval Academy									
T	t	h	Pr	u	vr	φ	Cp	Cv	k
°R	°F	Btu/lbm		Btu/lbm		Btu/lbm°R	Btu/lbm°R	Btu/lbm°R	
2600	2140	673.9	511.510	495.7	1.883	1.0060	0.2873	0.2187	1.313
2601	2141	674.2	512.335	495.9	1.881	1.0061	0.2873	0.2188	1.313
2602	2142	674.5	513.161	496.1	1.878	1.0062	0.2873	0.2188	1.313
2603	2143	674.8	513.988	496.4	1.876	1.0063	0.2873	0.2188	1.313
2604	2144	675.1	514.816	496.6	1.874	1.0064	0.2873	0.2188	1.313
2605	2145	675.4	515.646	496.8	1.871	1.0065	0.2874	0.2188	1.313
2606	2146	675.7	516.476	497.0	1.869	1.0066	0.2874	0.2188	1.313
2607	2147	676.0	517.307	497.2	1.867	1.0067	0.2874	0.2188	1.313
2608	2148	676.2	518.140	497.5	1.865	1.0068	0.2874	0.2189	1.313
2609	2149	676.5	518.973	497.7	1.862	1.0070	0.2874	0.2189	1.313
2610	2150	676.8	519.808	497.9	1.860	1.0071	0.2874	0.2189	1.313
2611	2151	677.1	520.644	498.1	1.858	1.0072	0.2875	0.2189	1.313
2612	2152	677.4	521.480	498.3	1.855	1.0073	0.2875	0.2189	1.313
2613	2153	677.7	522.318	498.6	1.853	1.0074	0.2875	0.2189	1.313
2614	2154	678.0	523.157	498.8	1.851	1.0075	0.2875	0.2189	1.313
2615	2155	678.3	523.997	499.0	1.849	1.0076	0.2875	0.2190	1.313
2616	2156	678.5	524.838	499.2	1.846	1.0077	0.2875	0.2190	1.313
2617	2157	678.8	525.680	499.4	1.844	1.0078	0.2875	0.2190	1.313
2618	2158	679.1	526.523	499.7	1.842	1.0079	0.2876	0.2190	1.313
2619	2159	679.4	527.367	499.9	1.840	1.0081	0.2876	0.2190	1.313
2620	2160	679.7	528.212	500.1	1.837	1.0082	0.2876	0.2190	1.313
2621	2161	680.0	529.059	500.3	1.835	1.0083	0.2876	0.2191	1.313
2622	2162	680.3	529.906	500.5	1.833	1.0084	0.2876	0.2191	1.313
2623	2163	680.6	530.755	500.7	1.831	1.0085	0.2876	0.2191	1.313
2624	2164	680.8	531.604	501.0	1.828	1.0086	0.2876	0.2191	1.313
2625	2165	681.1	532.455	501.2	1.826	1.0087	0.2877	0.2191	1.313
2626	2166	681.4	533.307	501.4	1.824	1.0088	0.2877	0.2191	1.313
2627	2167	681.7	534.160	501.6	1.822	1.0089	0.2877	0.2191	1.313
2628	2168	682.0	535.013	501.8	1.820	1.0090	0.2877	0.2192	1.313
2629	2169	682.3	535.868	502.1	1.817	1.0092	0.2877	0.2192	1.313
2630	2170	682.6	536.725	502.3	1.815	1.0093	0.2877	0.2192	1.313
2631	2171	682.9	537.582	502.5	1.813	1.0094	0.2878	0.2192	1.313
2632	2172	683.1	538.440	502.7	1.811	1.0095	0.2878	0.2192	1.313
2633	2173	683.4	539.299	502.9	1.809	1.0096	0.2878	0.2192	1.313
2634	2174	683.7	540.160	503.2	1.806	1.0097	0.2878	0.2192	1.313
2635	2175	684.0	541.021	503.4	1.804	1.0098	0.2878	0.2193	1.313
2636	2176	684.3	541.884	503.6	1.802	1.0099	0.2878	0.2193	1.313
2637	2177	684.6	542.748	503.8	1.800	1.0100	0.2878	0.2193	1.313
2638	2178	684.9	543.612	504.0	1.798	1.0101	0.2879	0.2193	1.313
2639	2179	685.2	544.478	504.3	1.795	1.0102	0.2879	0.2193	1.313
2640	2180	685.4	545.345	504.5	1.793	1.0104	0.2879	0.2193	1.313
2641	2181	685.7	546.213	504.7	1.791	1.0105	0.2879	0.2193	1.313
2642	2182	686.0	547.082	504.9	1.789	1.0106	0.2879	0.2194	1.312
2643	2183	686.3	547.953	505.1	1.787	1.0107	0.2879	0.2194	1.312
2644	2184	686.6	548.824	505.4	1.785	1.0108	0.2879	0.2194	1.312
2645	2185	686.9	549.696	505.6	1.782	1.0109	0.2880	0.2194	1.312
2646	2186	687.2	550.570	505.8	1.780	1.0110	0.2880	0.2194	1.312
2647	2187	687.5	551.445	506.0	1.778	1.0111	0.2880	0.2194	1.312
2648	2188	687.7	552.321	506.2	1.776	1.0112	0.2880	0.2195	1.312
2649	2189	688.0	553.197	506.4	1.774	1.0113	0.2880	0.2195	1.312

Air Tables developed by K. W. Lindler - U. S. Naval Academy								
T	t	h	Pr	u	vr	φ	Cp	Cv	k
°R	°F	Btu/lbm		Btu/lbm		Btu/lbm°R	Btu/lbm°R	Btu/lbm°R	
2650	2190	688.3	554.075	506.7	1.772	1.0114	0.2880	0.2195	1.312
2651	2191	688.6	554.954	506.9	1.770	1.0116	0.2880	0.2195	1.312
2652	2192	688.9	555.835	507.1	1.767	1.0117	0.2881	0.2195	1.312
2653	2193	689.2	556.716	507.3	1.765	1.0118	0.2881	0.2195	1.312
2654	2194	689.5	557.598	507.5	1.763	1.0119	0.2881	0.2195	1.312
2655	2195	689.8	558.482	507.8	1.761	1.0120	0.2881	0.2196	1.312
2656	2196	690.1	559.367	508.0	1.759	1.0121	0.2881	0.2196	1.312
2657	2197	690.3	560.252	508.2	1.757	1.0122	0.2881	0.2196	1.312
2658	2198	690.6	561.139	508.4	1.755	1.0123	0.2881	0.2196	1.312
2659	2199	690.9	562.027	508.6	1.753	1.0124	0.2882	0.2196	1.312
2660	2200	691.2	562.916	508.9	1.750	1.0125	0.2882	0.2196	1.312
2661	2201	691.5	563.806	509.1	1.748	1.0126	0.2882	0.2196	1.312
2662	2202	691.8	564.698	509.3	1.746	1.0127	0.2882	0.2197	1.312
2663	2203	692.1	565.590	509.5	1.744	1.0129	0.2882	0.2197	1.312
2664	2204	692.4	566.484	509.7	1.742	1.0130	0.2882	0.2197	1.312
2665	2205	692.6	567.378	510.0	1.740	1.0131	0.2882	0.2197	1.312
2666	2206	692.9	568.274	510.2	1.738	1.0132	0.2883	0.2197	1.312
2667	2207	693.2	569.171	510.4	1.736	1.0133	0.2883	0.2197	1.312
2668	2208	693.5	570.069	510.6	1.734	1.0134	0.2883	0.2197	1.312
2669	2209	693.8	570.968	510.8	1.732	1.0135	0.2883	0.2198	1.312
2670	2210	694.1	571.869	511.1	1.730	1.0136	0.2883	0.2198	1.312
2671	2211	694.4	572.770	511.3	1.727	1.0137	0.2883	0.2198	1.312
2672	2212	694.7	573.673	511.5	1.725	1.0138	0.2883	0.2198	1.312
2673	2213	695.0	574.576	511.7	1.723	1.0139	0.2884	0.2198	1.312
2674	2214	695.2	575.481	511.9	1.721	1.0140	0.2884	0.2198	1.312
2675	2215	695.5	576.387	512.2	1.719	1.0141	0.2884	0.2198	1.312
2676	2216	695.8	577.294	512.4	1.717	1.0143	0.2884	0.2199	1.312
2677	2217	696.1	578.202	512.6	1.715	1.0144	0.2884	0.2199	1.312
2678	2218	696.4	579.112	512.8	1.713	1.0145	0.2884	0.2199	1.312
2679	2219	696.7	580.022	513.0	1.711	1.0146	0.2884	0.2199	1.312
2680	2220	697.0	580.934	513.3	1.709	1.0147	0.2885	0.2199	1.312
2681	2221	697.3	581.847	513.5	1.707	1.0148	0.2885	0.2199	1.312
2682	2222	697.5	582.760	513.7	1.705	1.0149	0.2885	0.2199	1.312
2683	2223	697.8	583.675	513.9	1.703	1.0150	0.2885	0.2200	1.312
2684	2224	698.1	584.592	514.1	1.701	1.0151	0.2885	0.2200	1.312
2685	2225	698.4	585.509	514.4	1.699	1.0152	0.2885	0.2200	1.312
2686	2226	698.7	586.427	514.6	1.697	1.0153	0.2886	0.2200	1.312
2687	2227	699.0	587.347	514.8	1.695	1.0154	0.2886	0.2200	1.312
2688	2228	699.3	588.268	515.0	1.693	1.0155	0.2886	0.2200	1.312
2689	2229	699.6	589.190	515.2	1.691	1.0157	0.2886	0.2200	1.312
2690	2230	699.9	590.113	515.5	1.689	1.0158	0.2886	0.2201	1.312
2691	2231	700.1	591.037	515.7	1.687	1.0159	0.2886	0.2201	1.311
2692	2232	700.4	591.962	515.9	1.685	1.0160	0.2886	0.2201	1.311
2693	2233	700.7	592.889	516.1	1.683	1.0161	0.2887	0.2201	1.311
2694	2234	701.0	593.816	516.3	1.681	1.0162	0.2887	0.2201	1.311
2695	2235	701.3	594.745	516.6	1.679	1.0163	0.2887	0.2201	1.311
2696	2236	701.6	595.675	516.8	1.677	1.0164	0.2887	0.2201	1.311
2697	2237	701.9	596.606	517.0	1.675	1.0165	0.2887	0.2202	1.311
2698	2238	702.2	597.538	517.2	1.673	1.0166	0.2887	0.2202	1.311
2699	2239	702.5	598.472	517.4	1.671	1.0167	0.2887	0.2202	1.311

Air Tables developed by K. W. Lindler - U. S. Naval Academy									
T	t	h	Pr	u	vr	φ	Cp	Cv	k
°R	°F	Btu/lbm		Btu/lbm		Btu/lbm°R	Btu/lbm°R	Btu/lbm°R	
2700	2240	702.7	599.406	517.7	1.669	1.0168	0.2888	0.2202	1.311
2701	2241	703.0	600.342	517.9	1.667	1.0169	0.2888	0.2202	1.311
2702	2242	703.3	601.279	518.1	1.665	1.0170	0.2888	0.2202	1.311
2703	2243	703.6	602.217	518.3	1.663	1.0172	0.2888	0.2202	1.311
2704	2244	703.9	603.156	518.5	1.661	1.0173	0.2888	0.2203	1.311
2705	2245	704.2	604.097	518.8	1.659	1.0174	0.2888	0.2203	1.311
2706	2246	704.5	605.038	519.0	1.657	1.0175	0.2888	0.2203	1.311
2707	2247	704.8	605.981	519.2	1.655	1.0176	0.2888	0.2203	1.311
2708	2248	705.1	606.925	519.4	1.653	1.0177	0.2889	0.2203	1.311
2709	2249	705.3	607.870	519.6	1.651	1.0178	0.2889	0.2203	1.311
2710	2250	705.6	608.816	519.9	1.649	1.0179	0.2889	0.2203	1.311
2711	2251	705.9	609.763	520.1	1.647	1.0180	0.2889	0.2204	1.311
2712	2252	706.2	610.712	520.3	1.645	1.0181	0.2889	0.2204	1.311
2713	2253	706.5	611.662	520.5	1.643	1.0182	0.2889	0.2204	1.311
2714	2254	706.8	612.612	520.7	1.641	1.0183	0.2889	0.2204	1.311
2715	2255	707.1	613.564	521.0	1.639	1.0184	0.2890	0.2204	1.311
2716	2256	707.4	614.518	521.2	1.637	1.0185	0.2890	0.2204	1.311
2717	2257	707.7	615.472	521.4	1.635	1.0186	0.2890	0.2204	1.311
2718	2258	707.9	616.428	521.6	1.633	1.0188	0.2890	0.2205	1.311
2719	2259	708.2	617.384	521.8	1.631	1.0189	0.2890	0.2205	1.311
2720	2260	708.5	618.342	522.1	1.629	1.0190	0.2890	0.2205	1.311
2721	2261	708.8	619.302	522.3	1.628	1.0191	0.2890	0.2205	1.311
2722	2262	709.1	620.262	522.5	1.626	1.0192	0.2891	0.2205	1.311
2723	2263	709.4	621.223	522.7	1.624	1.0193	0.2891	0.2205	1.311
2724	2264	709.7	622.186	522.9	1.622	1.0194	0.2891	0.2205	1.311
2725	2265	710.0	623.150	523.2	1.620	1.0195	0.2891	0.2206	1.311
2726	2266	710.3	624.115	523.4	1.618	1.0196	0.2891	0.2206	1.311
2727	2267	710.5	625.081	523.6	1.616	1.0197	0.2891	0.2206	1.311
2728	2268	710.8	626.049	523.8	1.614	1.0198	0.2891	0.2206	1.311
2729	2269	711.1	627.017	524.1	1.612	1.0199	0.2892	0.2206	1.311
2730	2270	711.4	627.987	524.3	1.610	1.0200	0.2892	0.2206	1.311
2731	2271	711.7	628.958	524.5	1.608	1.0201	0.2892	0.2206	1.311
2732	2272	712.0	629.930	524.7	1.607	1.0202	0.2892	0.2207	1.311
2733	2273	712.3	630.903	524.9	1.605	1.0203	0.2892	0.2207	1.311
2734	2274	712.6	631.878	525.2	1.603	1.0205	0.2892	0.2207	1.311
2735	2275	712.9	632.854	525.4	1.601	1.0206	0.2892	0.2207	1.311
2736	2276	713.1	633.831	525.6	1.599	1.0207	0.2893	0.2207	1.311
2737	2277	713.4	634.809	525.8	1.597	1.0208	0.2893	0.2207	1.311
2738	2278	713.7	635.788	526.0	1.595	1.0209	0.2893	0.2207	1.311
2739	2279	714.0	636.769	526.3	1.593	1.0210	0.2893	0.2208	1.311
2740	2280	714.3	637.751	526.5	1.591	1.0211	0.2893	0.2208	1.311
2741	2281	714.6	638.733	526.7	1.590	1.0212	0.2893	0.2208	1.310
2742	2282	714.9	639.718	526.9	1.588	1.0213	0.2893	0.2208	1.310
2743	2283	715.2	640.703	527.1	1.586	1.0214	0.2894	0.2208	1.310
2744	2284	715.5	641.690	527.4	1.584	1.0215	0.2894	0.2208	1.310
2745	2285	715.8	642.677	527.6	1.582	1.0216	0.2894	0.2208	1.310
2746	2286	716.0	643.666	527.8	1.580	1.0217	0.2894	0.2208	1.310
2747	2287	716.3	644.656	528.0	1.578	1.0218	0.2894	0.2209	1.310
2748	2288	716.6	645.648	528.2	1.577	1.0219	0.2894	0.2209	1.310
2749	2289	716.9	646.640	528.5	1.575	1.0220	0.2894	0.2209	1.310

Air Tables developed by K. W. Lindler - U. S. Naval Academy									
T	t	h	Pr	u	vr	φ	Cp	Cv	k
°R	°F	Btu/lbm		Btu/lbm		Btu/lbm°R	Btu/lbm°R	Btu/lbm°R	
2750	2290	717.2	647.634	528.7	1.573	1.0221	0.2895	0.2209	1.310
2751	2291	717.5	648.629	528.9	1.571	1.0222	0.2895	0.2209	1.310
2752	2292	717.8	649.626	529.1	1.569	1.0223	0.2895	0.2209	1.310
2753	2293	718.1	650.623	529.4	1.567	1.0225	0.2895	0.2209	1.310
2754	2294	718.4	651.622	529.6	1.566	1.0226	0.2895	0.2210	1.310
2755	2295	718.6	652.622	529.8	1.564	1.0227	0.2895	0.2210	1.310
2756	2296	718.9	653.623	530.0	1.562	1.0228	0.2895	0.2210	1.310
2757	2297	719.2	654.625	530.2	1.560	1.0229	0.2895	0.2210	1.310
2758	2298	719.5	655.629	530.5	1.558	1.0230	0.2896	0.2210	1.310
2759	2299	719.8	656.633	530.7	1.556	1.0231	0.2896	0.2210	1.310
2760	2300	720.1	657.639	530.9	1.555	1.0232	0.2896	0.2210	1.310
2761	2301	720.4	658.647	531.1	1.553	1.0233	0.2896	0.2211	1.310
2762	2302	720.7	659.655	531.3	1.551	1.0234	0.2896	0.2211	1.310
2763	2303	721.0	660.665	531.6	1.549	1.0235	0.2896	0.2211	1.310
2764	2304	721.3	661.676	531.8	1.547	1.0236	0.2896	0.2211	1.310
2765	2305	721.5	662.688	532.0	1.546	1.0237	0.2897	0.2211	1.310
2766	2306	721.8	663.701	532.2	1.544	1.0238	0.2897	0.2211	1.310
2767	2307	722.1	664.716	532.4	1.542	1.0239	0.2897	0.2211	1.310
2768	2308	722.4	665.732	532.7	1.540	1.0240	0.2897	0.2212	1.310
2769	2309	722.7	666.749	532.9	1.538	1.0241	0.2897	0.2212	1.310
2770	2310	723.0	667.767	533.1	1.537	1.0242	0.2897	0.2212	1.310
2771	2311	723.3	668.786	533.3	1.535	1.0243	0.2897	0.2212	1.310
2772	2312	723.6	669.807	533.6	1.533	1.0244	0.2898	0.2212	1.310
2773	2313	723.9	670.829	533.8	1.531	1.0246	0.2898	0.2212	1.310
2774	2314	724.1	671.852	534.0	1.529	1.0247	0.2898	0.2212	1.310
2775	2315	724.4	672.877	534.2	1.528	1.0248	0.2898	0.2212	1.310
2776	2316	724.7	673.903	534.4	1.526	1.0249	0.2898	0.2213	1.310
2777	2317	725.0	674.930	534.7	1.524	1.0250	0.2898	0.2213	1.310
2778	2318	725.3	675.958	534.9	1.522	1.0251	0.2898	0.2213	1.310
2779	2319	725.6	676.987	535.1	1.521	1.0252	0.2899	0.2213	1.310
2780	2320	725.9	678.018	535.3	1.519	1.0253	0.2899	0.2213	1.310
2781	2321	726.2	679.050	535.5	1.517	1.0254	0.2899	0.2213	1.310
2782	2322	726.5	680.083	535.8	1.515	1.0255	0.2899	0.2213	1.310
2783	2323	726.8	681.117	536.0	1.514	1.0256	0.2899	0.2214	1.310
2784	2324	727.0	682.153	536.2	1.512	1.0257	0.2899	0.2214	1.310
2785	2325	727.3	683.190	536.4	1.510	1.0258	0.2899	0.2214	1.310
2786	2326	727.6	684.228	536.6	1.508	1.0259	0.2899	0.2214	1.310
2787	2327	727.9	685.268	536.9	1.507	1.0260	0.2900	0.2214	1.310
2788	2328	728.2	686.308	537.1	1.505	1.0261	0.2900	0.2214	1.310
2789	2329	728.5	687.350	537.3	1.503	1.0262	0.2900	0.2214	1.310
2790	2330	728.8	688.393	537.5	1.501	1.0263	0.2900	0.2215	1.310
2791	2331	729.1	689.438	537.8	1.500	1.0264	0.2900	0.2215	1.310
2792	2332	729.4	690.484	538.0	1.498	1.0265	0.2900	0.2215	1.310
2793	2333	729.7	691.531	538.2	1.496	1.0266	0.2900	0.2215	1.309
2794	2334	729.9	692.579	538.4	1.494	1.0267	0.2901	0.2215	1.309
2795	2335	730.2	693.628	538.6	1.493	1.0268	0.2901	0.2215	1.309
2796	2336	730.5	694.679	538.9	1.491	1.0269	0.2901	0.2215	1.309
2797	2337	730.8	695.731	539.1	1.489	1.0270	0.2901	0.2215	1.309
2798	2338	731.1	696.784	539.3	1.487	1.0272	0.2901	0.2216	1.309
2799	2339	731.4	697.839	539.5	1.486	1.0273	0.2901	0.2216	1.309

Air Tables developed by K. W. Lindler - U. S. Naval Academy									
T	t	h	Pr	u	vr	φ	Cp	Cv	k
°R	°F	Btu/lbm		Btu/lbm		Btu/lbm°R	Btu/lbm°R	Btu/lbm°R	
2800	2340	731.7	698.895	539.7	1.484	1.0274	0.2901	0.2216	1.309
2801	2341	732.0	699.952	540.0	1.482	1.0275	0.2901	0.2216	1.309
2802	2342	732.3	701.010	540.2	1.481	1.0276	0.2902	0.2216	1.309
2803	2343	732.6	702.070	540.4	1.479	1.0277	0.2902	0.2216	1.309
2804	2344	732.8	703.131	540.6	1.477	1.0278	0.2902	0.2216	1.309
2805	2345	733.1	704.193	540.9	1.476	1.0279	0.2902	0.2217	1.309
2806	2346	733.4	705.256	541.1	1.474	1.0280	0.2902	0.2217	1.309
2807	2347	733.7	706.321	541.3	1.472	1.0281	0.2902	0.2217	1.309
2808	2348	734.0	707.387	541.5	1.470	1.0282	0.2902	0.2217	1.309
2809	2349	734.3	708.454	541.7	1.469	1.0283	0.2903	0.2217	1.309
2810	2350	734.6	709.523	542.0	1.467	1.0284	0.2903	0.2217	1.309
2811	2351	734.9	710.593	542.2	1.465	1.0285	0.2903	0.2217	1.309
2812	2352	735.2	711.664	542.4	1.464	1.0286	0.2903	0.2217	1.309
2813	2353	735.5	712.736	542.6	1.462	1.0287	0.2903	0.2218	1.309
2814	2354	735.8	713.810	542.9	1.460	1.0288	0.2903	0.2218	1.309
2815	2355	736.0	714.885	543.1	1.459	1.0289	0.2903	0.2218	1.309
2816	2356	736.3	715.961	543.3	1.457	1.0290	0.2904	0.2218	1.309
2817	2357	736.6	717.039	543.5	1.455	1.0291	0.2904	0.2218	1.309
2818	2358	736.9	718.118	543.7	1.454	1.0292	0.2904	0.2218	1.309
2819	2359	737.2	719.198	544.0	1.452	1.0293	0.2904	0.2218	1.309
2820	2360	737.5	720.279	544.2	1.450	1.0294	0.2904	0.2219	1.309
2821	2361	737.8	721.362	544.4	1.449	1.0295	0.2904	0.2219	1.309
2822	2362	738.1	722.446	544.6	1.447	1.0296	0.2904	0.2219	1.309
2823	2363	738.4	723.531	544.9	1.445	1.0297	0.2904	0.2219	1.309
2824	2364	738.7	724.618	545.1	1.444	1.0298	0.2905	0.2219	1.309
2825	2365	738.9	725.706	545.3	1.442	1.0299	0.2905	0.2219	1.309
2826	2366	739.2	726.795	545.5	1.440	1.0300	0.2905	0.2219	1.309
2827	2367	739.5	727.885	545.7	1.439	1.0301	0.2905	0.2219	1.309
2828	2368	739.8	728.977	546.0	1.437	1.0302	0.2905	0.2220	1.309
2829	2369	740.1	730.070	546.2	1.435	1.0304	0.2905	0.2220	1.309
2830	2370	740.4	731.165	546.4	1.434	1.0305	0.2905	0.2220	1.309
2831	2371	740.7	732.260	546.6	1.432	1.0306	0.2905	0.2220	1.309
2832	2372	741.0	733.357	546.8	1.430	1.0307	0.2906	0.2220	1.309
2833	2373	741.3	734.456	547.1	1.429	1.0308	0.2906	0.2220	1.309
2834	2374	741.6	735.555	547.3	1.427	1.0309	0.2906	0.2220	1.309
2835	2375	741.9	736.656	547.5	1.426	1.0310	0.2906	0.2221	1.309
2836	2376	742.1	737.758	547.7	1.424	1.0311	0.2906	0.2221	1.309
2837	2377	742.4	738.862	548.0	1.422	1.0312	0.2906	0.2221	1.309
2838	2378	742.7	739.967	548.2	1.421	1.0313	0.2906	0.2221	1.309
2839	2379	743.0	741.073	548.4	1.419	1.0314	0.2907	0.2221	1.309
2840	2380	743.3	742.180	548.6	1.417	1.0315	0.2907	0.2221	1.309
2841	2381	743.6	743.289	548.8	1.416	1.0316	0.2907	0.2221	1.309
2842	2382	743.9	744.399	549.1	1.414	1.0317	0.2907	0.2221	1.309
2843	2383	744.2	745.511	549.3	1.413	1.0318	0.2907	0.2222	1.309
2844	2384	744.5	746.623	549.5	1.411	1.0319	0.2907	0.2222	1.309
2845	2385	744.8	747.737	549.7	1.409	1.0320	0.2907	0.2222	1.309
2846	2386	745.0	748.853	550.0	1.408	1.0321	0.2907	0.2222	1.309
2847	2387	745.3	749.970	550.2	1.406	1.0322	0.2908	0.2222	1.308
2848	2388	745.6	751.088	550.4	1.405	1.0323	0.2908	0.2222	1.308
2849	2389	745.9	752.207	550.6	1.403	1.0324	0.2908	0.2222	1.308

T	t	h	Pr	u	vr	φ	Cp	Cv	k
°R	°F	Btu/lbm		Btu/lbm		Btu/lbm°R	Btu/lbm°R	Btu/lbm°R	
2850	2390	746.2	753.328	550.8	1.401	1.0325	0.2908	0.2223	1.308
2851	2391	746.5	754.450	551.1	1.400	1.0326	0.2908	0.2223	1.308
2852	2392	746.8	755.573	551.3	1.398	1.0327	0.2908	0.2223	1.308
2853	2393	747.1	756.698	551.5	1.397	1.0328	0.2908	0.2223	1.308
2854	2394	747.4	757.823	551.7	1.395	1.0329	0.2909	0.2223	1.308
2855	2395	747.7	758.951	552.0	1.393	1.0330	0.2909	0.2223	1.308
2856	2396	748.0	760.079	552.2	1.392	1.0331	0.2909	0.2223	1.308
2857	2397	748.2	761.209	552.4	1.390	1.0332	0.2909	0.2223	1.308
2858	2398	748.5	762.341	552.6	1.389	1.0333	0.2909	0.2224	1.308
2859	2399	748.8	763.473	552.8	1.387	1.0334	0.2909	0.2224	1.308
2860	2400	749.1	764.607	553.1	1.386	1.0335	0.2909	0.2224	1.308
2861	2401	749.4	765.743	553.3	1.384	1.0336	0.2909	0.2224	1.308
2862	2402	749.7	766.879	553.5	1.382	1.0337	0.2910	0.2224	1.308
2863	2403	750.0	768.017	553.7	1.381	1.0338	0.2910	0.2224	1.308
2864	2404	750.3	769.157	554.0	1.379	1.0339	0.2910	0.2224	1.308
2865	2405	750.6	770.297	554.2	1.378	1.0340	0.2910	0.2224	1.308
2866	2406	750.9	771.439	554.4	1.376	1.0341	0.2910	0.2225	1.308
2867	2407	751.2	772.583	554.6	1.375	1.0342	0.2910	0.2225	1.308
2868	2408	751.4	773.727	554.8	1.373	1.0343	0.2910	0.2225	1.308
2869	2409	751.7	774.874	555.1	1.372	1.0344	0.2910	0.2225	1.308
2870	2410	752.0	776.021	555.3	1.370	1.0345	0.2911	0.2225	1.308
2871	2411	752.3	777.170	555.5	1.368	1.0346	0.2911	0.2225	1.308
2872	2412	752.6	778.320	555.7	1.367	1.0347	0.2911	0.2225	1.308
2873	2413	752.9	779.471	556.0	1.365	1.0348	0.2911	0.2226	1.308
2874	2414	753.2	780.624	556.2	1.364	1.0349	0.2911	0.2226	1.308
2875	2415	753.5	781.778	556.4	1.362	1.0350	0.2911	0.2226	1.308
2876	2416	753.8	782.934	556.6	1.361	1.0351	0.2911	0.2226	1.308
2877	2417	754.1	784.091	556.9	1.359	1.0352	0.2912	0.2226	1.308
2878	2418	754.4	785.249	557.1	1.358	1.0353	0.2912	0.2226	1.308
2879	2419	754.6	786.409	557.3	1.356	1.0354	0.2912	0.2226	1.308
2880	2420	754.9	787.569	557.5	1.355	1.0355	0.2912	0.2226	1.308
2881	2421	755.2	788.732	557.7	1.353	1.0357	0.2912	0.2227	1.308
2882	2422	755.5	789.895	558.0	1.352	1.0358	0.2912	0.2227	1.308
2883	2423	755.8	791.061	558.2	1.350	1.0359	0.2912	0.2227	1.308
2884	2424	756.1	792.227	558.4	1.349	1.0360	0.2912	0.2227	1.308
2885	2425	756.4	793.395	558.6	1.347	1.0361	0.2913	0.2227	1.308
2886	2426	756.7	794.564	558.9	1.345	1.0362	0.2913	0.2227	1.308
2887	2427	757.0	795.734	559.1	1.344	1.0363	0.2913	0.2227	1.308
2888	2428	757.3	796.906	559.3	1.342	1.0364	0.2913	0.2227	1.308
2889	2429	757.6	798.080	559.5	1.341	1.0365	0.2913	0.2228	1.308
2890	2430	757.9	799.254	559.7	1.339	1.0366	0.2913	0.2228	1.308
2891	2431	758.1	800.430	560.0	1.338	1.0367	0.2913	0.2228	1.308
2892	2432	758.4	801.608	560.2	1.336	1.0368	0.2913	0.2228	1.308
2893	2433	758.7	802.786	560.4	1.335	1.0369	0.2914	0.2228	1.308
2894	2434	759.0	803.966	560.6	1.333	1.0370	0.2914	0.2228	1.308
2895	2435	759.3	805.148	560.9	1.332	1.0371	0.2914	0.2228	1.308
2896	2436	759.6	806.331	561.1	1.330	1.0372	0.2914	0.2228	1.308
2897	2437	759.9	807.515	561.3	1.329	1.0373	0.2914	0.2229	1.308
2898	2438	760.2	808.701	561.5	1.327	1.0374	0.2914	0.2229	1.308
2899	2439	760.5	809.888	561.8	1.326	1.0375	0.2914	0.2229	1.308

Air Tables developed by K. W. Lindler - U. S. Naval Academy

Air Tables developed by K. W. Lindler - U. S. Naval Academy									
T	t	h	Pr	u	vr	φ	Cp	Cv	k
°R	°F	Btu/lbm		Btu/lbm		Btu/lbm°R	Btu/lbm°R	Btu/lbm°R	
2900	2440	760.8	811.076	562.0	1.324	1.0376	0.2914	0.2229	1.308
2901	2441	761.1	812.266	562.2	1.323	1.0377	0.2915	0.2229	1.308
2902	2442	761.3	813.457	562.4	1.322	1.0378	0.2915	0.2229	1.307
2903	2443	761.6	814.650	562.6	1.320	1.0379	0.2915	0.2229	1.307
2904	2444	761.9	815.844	562.9	1.319	1.0380	0.2915	0.2229	1.307
2905	2445	762.2	817.039	563.1	1.317	1.0381	0.2915	0.2230	1.307
2906	2446	762.5	818.236	563.3	1.316	1.0382	0.2915	0.2230	1.307
2907	2447	762.8	819.434	563.5	1.314	1.0383	0.2915	0.2230	1.307
2908	2448	763.1	820.634	563.8	1.313	1.0384	0.2915	0.2230	1.307
2909	2449	763.4	821.835	564.0	1.311	1.0385	0.2916	0.2230	1.307
2910	2450	763.7	823.037	564.2	1.310	1.0386	0.2916	0.2230	1.307
2911	2451	764.0	824.241	564.4	1.308	1.0387	0.2916	0.2230	1.307
2912	2452	764.3	825.446	564.7	1.307	1.0388	0.2916	0.2231	1.307
2913	2453	764.6	826.652	564.9	1.305	1.0389	0.2916	0.2231	1.307
2914	2454	764.8	827.860	565.1	1.304	1.0390	0.2916	0.2231	1.307
2915	2455	765.1	829.069	565.3	1.302	1.0391	0.2916	0.2231	1.307
2916	2456	765.4	830.280	565.5	1.301	1.0392	0.2917	0.2231	1.307
2917	2457	765.7	831.492	565.8	1.300	1.0393	0.2917	0.2231	1.307
2918	2458	766.0	832.706	566.0	1.298	1.0394	0.2917	0.2231	1.307
2919	2459	766.3	833.921	566.2	1.297	1.0395	0.2917	0.2231	1.307
2920	2460	766.6	835.137	566.4	1.295	1.0396	0.2917	0.2232	1.307
2921	2461	766.9	836.355	566.7	1.294	1.0397	0.2917	0.2232	1.307
2922	2462	767.2	837.574	566.9	1.292	1.0398	0.2917	0.2232	1.307
2923	2463	767.5	838.795	567.1	1.291	1.0399	0.2917	0.2232	1.307
2924	2464	767.8	840.017	567.3	1.289	1.0400	0.2918	0.2232	1.307
2925	2465	768.1	841.240	567.6	1.288	1.0401	0.2918	0.2232	1.307
2926	2466	768.3	842.465	567.8	1.287	1.0402	0.2918	0.2232	1.307
2927	2467	768.6	843.691	568.0	1.285	1.0403	0.2918	0.2232	1.307
2928	2468	768.9	844.919	568.2	1.284	1.0404	0.2918	0.2233	1.307
2929	2469	769.2	846.148	568.4	1.282	1.0405	0.2918	0.2233	1.307
2930	2470	769.5	847.379	568.7	1.281	1.0406	0.2918	0.2233	1.307
2931	2471	769.8	848.610	568.9	1.279	1.0407	0.2918	0.2233	1.307
2932	2472	770.1	849.844	569.1	1.278	1.0408	0.2919	0.2233	1.307
2933	2473	770.4	851.079	569.3	1.277	1.0409	0.2919	0.2233	1.307
2934	2474	770.7	852.315	569.6	1.275	1.0410	0.2919	0.2233	1.307
2935	2475	771.0	853.552	569.8	1.274	1.0411	0.2919	0.2233	1.307
2936	2476	771.3	854.791	570.0	1.272	1.0412	0.2919	0.2234	1.307
2937	2477	771.6	856.032	570.2	1.271	1.0413	0.2919	0.2234	1.307
2938	2478	771.9	857.274	570.5	1.270	1.0414	0.2919	0.2234	1.307
2939	2479	772.1	858.517	570.7	1.268	1.0415	0.2919	0.2234	1.307
2940	2480	772.4	859.762	570.9	1.267	1.0416	0.2920	0.2234	1.307
2941	2481	772.7	861.008	571.1	1.265	1.0417	0.2920	0.2234	1.307
2942	2482	773.0	862.256	571.3	1.264	1.0418	0.2920	0.2234	1.307
2943	2483	773.3	863.505	571.6	1.263	1.0419	0.2920	0.2234	1.307
2944	2484	773.6	864.755	571.8	1.261	1.0420	0.2920	0.2235	1.307
2945	2485	773.9	866.007	572.0	1.260	1.0421	0.2920	0.2235	1.307
2946	2486	774.2	867.261	572.2	1.258	1.0422	0.2920	0.2235	1.307
2947	2487	774.5	868.516	572.5	1.257	1.0423	0.2920	0.2235	1.307
2948	2488	774.8	869.772	572.7	1.256	1.0424	0.2921	0.2235	1.307
2949	2489	775.1	871.030	572.9	1.254	1.0425	0.2921	0.2235	1.307

Air Tables developed by K. W. Lindler - U. S. Naval Academy									
T	t	h	Pr	u	vr	φ	Cp	Cv	k
°R	°F	Btu/lbm		Btu/lbm		Btu/lbm°R	Btu/lbm°R	Btu/lbm°R	
2950	2490	775.4	872.289	573.1	1.253	1.0426	0.2921	0.2235	1.307
2951	2491	775.6	873.549	573.4	1.251	1.0427	0.2921	0.2235	1.307
2952	2492	775.9	874.812	573.6	1.250	1.0428	0.2921	0.2236	1.307
2953	2493	776.2	876.075	573.8	1.249	1.0428	0.2921	0.2236	1.307
2954	2494	776.5	877.340	574.0	1.247	1.0429	0.2921	0.2236	1.307
2955	2495	776.8	878.606	574.3	1.246	1.0430	0.2921	0.2236	1.307
2956	2496	777.1	879.874	574.5	1.244	1.0431	0.2922	0.2236	1.307
2957	2497	777.4	881.144	574.7	1.243	1.0432	0.2922	0.2236	1.307
2958	2498	777.7	882.414	574.9	1.242	1.0433	0.2922	0.2236	1.307
2959	2499	778.0	883.687	575.1	1.240	1.0434	0.2922	0.2236	1.307
2960	2500	778.3	884.960	575.4	1.239	1.0435	0.2922	0.2237	1.306
2961	2501	778.6	886.236	575.6	1.238	1.0436	0.2922	0.2237	1.306
2962	2502	778.9	887.512	575.8	1.236	1.0437	0.2922	0.2237	1.306
2963	2503	779.2	888.790	576.0	1.235	1.0438	0.2922	0.2237	1.306
2964	2504	779.4	890.070	576.3	1.234	1.0439	0.2923	0.2237	1.306
2965	2505	779.7	891.351	576.5	1.232	1.0440	0.2923	0.2237	1.306
2966	2506	780.0	892.633	576.7	1.231	1.0441	0.2923	0.2237	1.306
2967	2507	780.3	893.917	576.9	1.229	1.0442	0.2923	0.2237	1.306
2968	2508	780.6	895.203	577.2	1.228	1.0443	0.2923	0.2238	1.306
2969	2509	780.9	896.489	577.4	1.227	1.0444	0.2923	0.2238	1.306
2970	2510	781.2	897.778	577.6	1.225	1.0445	0.2923	0.2238	1.306
2971	2511	781.5	899.068	577.8	1.224	1.0446	0.2923	0.2238	1.306
2972	2512	781.8	900.359	578.1	1.223	1.0447	0.2923	0.2238	1.306
2973	2513	782.1	901.652	578.3	1.221	1.0448	0.2924	0.2238	1.306
2974	2514	782.4	902.946	578.5	1.220	1.0449	0.2924	0.2238	1.306
2975	2515	782.7	904.242	578.7	1.219	1.0450	0.2924	0.2238	1.306
2976	2516	783.0	905.539	579.0	1.217	1.0451	0.2924	0.2238	1.306
2977	2517	783.2	906.837	579.2	1.216	1.0452	0.2924	0.2239	1.306
2978	2518	783.5	908.138	579.4	1.215	1.0453	0.2924	0.2239	1.306
2979	2519	783.8	909.439	579.6	1.213	1.0454	0.2924	0.2239	1.306
2980	2520	784.1	910.742	579.8	1.212	1.0455	0.2924	0.2239	1.306
2981	2521	784.4	912.047	580.1	1.211	1.0456	0.2925	0.2239	1.306
2982	2522	784.7	913.353	580.3	1.209	1.0457	0.2925	0.2239	1.306
2983	2523	785.0	914.660	580.5	1.208	1.0458	0.2925	0.2239	1.306
2984	2524	785.3	915.970	580.7	1.207	1.0459	0.2925	0.2239	1.306
2985	2525	785.6	917.280	581.0	1.205	1.0460	0.2925	0.2240	1.306
2986	2526	785.9	918.592	581.2	1.204	1.0461	0.2925	0.2240	1.306
2987	2527	786.2	919.906	581.4	1.203	1.0462	0.2925	0.2240	1.306
2988	2528	786.5	921.221	581.6	1.201	1.0463	0.2925	0.2240	1.306
2989	2529	786.8	922.537	581.9	1.200	1.0464	0.2926	0.2240	1.306
2990	2530	787.0	923.855	582.1	1.199	1.0465	0.2926	0.2240	1.306
2991	2531	787.3	925.175	582.3	1.198	1.0466	0.2926	0.2240	1.306
2992	2532	787.6	926.496	582.5	1.196	1.0467	0.2926	0.2240	1.306
2993	2533	787.9	927.818	582.8	1.195	1.0468	0.2926	0.2241	1.306
2994	2534	788.2	929.142	583.0	1.194	1.0469	0.2926	0.2241	1.306
2995	2535	788.5	930.468	583.2	1.192	1.0470	0.2926	0.2241	1.306
2996	2536	788.8	931.795	583.4	1.191	1.0471	0.2926	0.2241	1.306
2997	2537	789.1	933.123	583.7	1.190	1.0472	0.2927	0.2241	1.306
2998	2538	789.4	934.453	583.9	1.188	1.0473	0.2927	0.2241	1.306
2999	2539	789.7	935.785	584.1	1.187	1.0474	0.2927	0.2241	1.306

Air Tables developed by K. W. Lindler - U. S. Naval Academy									
T	t	h	Pr	u	vr	φ	Cp	Cv	k
°R	°F	Btu/lbm		Btu/lbm		Btu/lbm°R	Btu/lbm°R	Btu/lbm°R	
3000	2540	790.0	937.118	584.3	1.186	1.0475	0.2927	0.2241	1.306
3002	2542	790.6	939.788	584.8	1.183	1.0477	0.2927	0.2242	1.306
3004	2544	791.1	942.465	585.2	1.181	1.0479	0.2927	0.2242	1.306
3006	2546	791.7	945.147	585.7	1.178	1.0481	0.2928	0.2242	1.306
3008	2548	792.3	947.836	586.1	1.176	1.0482	0.2928	0.2242	1.306
3010	2550	792.9	950.531	586.6	1.173	1.0484	0.2928	0.2243	1.306
3012	2552	793.5	953.232	587.0	1.170	1.0486	0.2928	0.2243	1.306
3014	2554	794.1	955.939	587.5	1.168	1.0488	0.2929	0.2243	1.306
3016	2556	794.7	958.652	587.9	1.165	1.0490	0.2929	Q.2243	1.306
3018	2558	795.2	961.371	588.4	1.163	1.0492	0.2929	0.2244	1.306
3020	2560	795.8	964.096	588.8	1.160	1.0494	0.2929	0.2244	1.306
3022	2562	796.4	966.828	589.3	1.158	1.0496	0.2930	0.2244	1.305
3024	2564	797.0	969.566	589.7	1.155	1.0498	0.2930	0.2244	1.305
3026	2566	797.6	972.309	590.2	1.153	1.0500	0.2930	0.2245	1.305
3028	2568	798.2	975.059	590.6	1.150	1.0502	0.2930	0.2245	1.305
3030	2570	798.8	977.815	591.1	1.148	1.0504	0.2931	0.2245	1.305
3032	2572	799.3	980.578	591.5	1.145	1.0506	0.2931	0.2245	1.305
3034	2574	799.9	983.346	592.0	1.143	1.0508	0.2931	0.2245	1.305
3036	2576	800.5	986.121	592.4	1.140	1.0510	0.2931	0.2246	1.305
3038	2578	801.1	988.902	592.9	1.138	1.0512	0.2931	0.2246	1.305
3040	2580	801.7	991.689	593.3	1.136	1.0513	0.2932	0.2246	1.305
3042	2582	802.3	994.482	593.8	1.133	1.0515	0.2932	0.2246	1.305
3044	2584	802.9	997.282	594.2	1.131	1.0517	0.2932	0.2247	1.305
3046	2586	803.5	1000.088	594.7	1.128	1.0519	0.2932	0.2247	1.305
3048	2588	804.0	1002.900	595.1	1.126	1.0521	0.2933	0.2247	1.305
3050	2590	804.6	1005.719	595.5	1.123	1.0523	0.2933	0.2247	1.305
3052	2592	805.2	1008.544	596.0	1.121	1.0525	0.2933	0.2248	1.305
3054	2594	805.8	1011.375	596.4	1.119	1.0527	0.2933	0.2248	1.305
3056	2596	806.4	1014.212	596.9	1.116	1.0529	0.2934	0.2248	1.305
3058	2598	807.0	1017.056	597.3	1.114	1.0531	0.2934	0.2248	1.305
3060	2600	807.6	1019.906	597.8	1.111	1.0533	0.2934	0.2249	1.305
3062	2602	808.1	1022.762	598.2	1.109	1.0535	0.2934	0.2249	1.305
3064	2604	808.7	1025.625	598.7	1.107	1.0537	0.2935	0.2249	1.305
3066	2606	809.3	1028.494	599.1	1.104	1.0538	0.2935	0.2249	1.305
3068	2608	809.9	1031.370	599.6	1.102	1.0540	0.2935	0.2249	1.305
3070	2610	810.5	1034.251	600.0	1.100	1.0542	0.2935	0.2250	1.305
3072	2612	811.1	1037.140	600.5	1.097	1.0544	0.2935	0.2250	1.305
3074	2614	811.7	1040.034	600.9	1.095	1.0546	0.2936	0.2250	1.305
3076	2616	812.3	1042.935	601.4	1.093	1.0548	0.2936	0.2250	1.305
3078	2618	812.8	1045.843	601.8	1.090	1.0550	0.2936	0.2251	1.305
3080	2620	813.4	1048.757	602.3	1.088	1.0552	0.2936	0.2251	1.305
3082	2622	814.0	1051.677	602.7	1.086	1.0554	0.2937	0.2251	1.305
3084	2624	814.6	1054.604	603.2	1.083	1.0556	0.2937	0.2251	1.304
3086	2626	815.2	1057.538	603.6	1.081	1.0558	0.2937	0.2252	1.304
3088	2628	815.8	1060.477	604.1	1.079	1.0559	0.2937	0.2252	1.304
3090	2630	816.4	1063.424	604.5	1.076	1.0561	0.2938	0.2252	1.304
3092	2632	817.0	1066.377	605.0	1.074	1.0563	0.2938	0.2252	1.304
3094	2634	817.5	1069.336	605.4	1.072	1.0565	0.2938	0.2253	1.304
3096	2636	818.1	1072.302	605.9	1.070	1.0567	0.2938	0.2253	1.304
3098	2638	818.7	1075.274	606.4	1.067	1.0569	0.2938	0.2253	1.304

Air Tables developed by K. W. Lindler - U. S. Naval Academy									
T	t	h	Pr	u	vr	φ	Cp	Cv	k
°R	°F	Btu/lbm		Btu/lbm		Btu/lbm°R	Btu/lbm°R	Btu/lbm°R	
3100	2640	819.3	1078.253	606.8	1.065	1.0571	0.2939	0.2253	1.304
3102	2642	819.9	1081.239	607.3	1.063	1.0573	0.2939	0.2253	1.304
3104	2644	820.5	1084.231	607.7	1.060	1.0575	0.2939	0.2254	1.304
3106	2646	821.1	1087.229	608.2	1.058	1.0577	0.2939	0.2254	1.304
3108	2648	821.7	1090.235	608.6	1.056	1.0578	0.2940	0.2254	1.304
3110	2650	822.2	1093.247	609.1	1.054	1.0580	0.2940	0.2254	1.304
3112	2652	822.8	1096.265	609.5	1.052	1.0582	0.2940	0.2255	1.304
3114	2654	823.4	1099.290	610.0	1.049	1.0584	0.2940	0.2255	1.304
3116	2656	824.0	1102.322	610.4	1.047	1.0586	0.2941	0.2255	1.304
3118	2658	824.6	1105.360	610.9	1.045	1.0588	0.2941	0.2255	1.304
3120	2660	825.2	1108.405	611.3	1.043	1.0590	0.2941	0.2255	1.304
3122	2662	825.8	1111.457	611.8	1.041	1.0592	0.2941	0.2256	1.304
3124	2664	826.4	1114.515	612.2	1.038	1.0594	0.2941	0.2256	1.304
3126	2666	826.9	1117.580	612.7	1.036	1.0595	0.2942	0.2256	1.304
3128	2668	827.5	1120.652	613.1	1.034	1.0597	0.2942	0.2256	1.304
3130	2670	828.1	1123.730	613.6	1.032	1.0599	0.2942	0.2257	1.304
3132	2672	828.7	1126.815	614.0	1.030	1.0601	0.2942	0.2257	1.304
3134	2674	829.3	1129.907	614.5	1.027	1.0603	0.2943	0.2257	1.304
3136	2676	829.9	1133.006	614.9	1.025	1.0605	0.2943	0.2257	1.304
3138	2678	830.5	1136.111	615.4	1.023	1.0607	0.2943	0.2258	1.304
3140	2680	831.1	1139.223	615.8	1.021	1.0609	0.2943	0.2258	1.304
3142	2682	831.7	1142.342	616.3	1.019	1.0610	0.2943	0.2258	1.304
3144	2684	832.2	1145.468	616.7	1.017	1.0612	0.2944	0.2258	1.304
3146	2686	832.8	1148.601	617.2	1.015	1.0614	0.2944	0.2258	1.304
3148	2688	833.4	1151.740	617.6	1.012	1.0616	0.2944	0.2259	1.303
3150	2690	834.0	1154.886	618.1	1.010	1.0618	0.2944	0.2259	1.303
3152	2692	834.6	1158.039	618.5	1.008	1.0620	0.2945	0.2259	1.303
3154	2694	835.2	1161.199	619.0	1.006	1.0622	0.2945	0.2259	1.303
3156	2696	835.8	1164.365	619.4	1.004	1.0624	0.2945	0.2260	1.303
3158	2698	836.4	1167.539	619.9	1.002	1.0625	0.2945	0.2260	1.303
3160	2700	837.0	1170.719	620.3	1.000	1.0627	0.2945	0.2260	1.303
3162	2702	837.5	1173.906	620.8	0.998	1.0629	0.2946	0.2260	1.303
3164	2704	838.1	1177.101	621.2	0.996	1.0631	0.2946	0.2260	1.303
3166	2706	838.7	1180.302	621.7	0.994	1.0633	0.2946	0.2261	1.303
3168	2708	839.3	1183.510	622.1	0.992	1.0635	0.2946	0.2261	1.303
3170	2710	839.9	1186.724	622.6	0.989	1.0637	0.2947	0.2261	1.303
3172	2712	840.5	1189.946	623.1	0.987	1.0638	0.2947	0.2261	1.303
3174	2714	841.1	1193.175	623.5	0.985	1.0640	0.2947	0.2262	1.303
3176	2716	841.7	1196.411	624.0	0.983	1.0642	0.2947	0.2262	1.303
3178	2718	842.3	1199.653	624.4	0.981	1.0644	0.2947	0.2262	1.303
3180	2720	842.8	1202.903	624.9	0.979	1.0646	0.2948	0.2262	1.303
3182	2722	843.4	1206.160	625.3	0.977	1.0648	0.2948	0.2262	1.303
3184	2724	844.0	1209.424	625.8	0.975	1.0650	0.2948	0.2263	1.303
3186	2726	844.6	1212.694	626.2	0.973	1.0651	0.2948	0.2263	1.303
3188	2728	845.2	1215.972	626.7	0.971	1.0653	0.2949	0.2263	1.303
3190	2730	845.8	1219.257	627.1	0.969	1.0655	0.2949	0.2263	1.303
3192	2732	846.4	1222.549	627.6	0.967	1.0657	0.2949	0.2263	1.303
3194	2734	847.0	1225.847	628.0	0.965	1.0659	0.2949	0.2264	1.303
3196	2736	847.6	1229.153	628.5	0.963	1.0661	0.2949	0.2264	1.303
3198	2738	848.2	1232.466	628.9	0.961	1.0662	0.2950	0.2264	1.303

Air Tables developed by K. W. Lindler - U. S. Naval Academy									
T	t	h	Pr	u	vr	φ	Cp	Cv	k
°R	°F	Btu/lbm		Btu/lbm		Btu/lbm°R	Btu/lbm°R	Btu/lbm°R	
3200	2740	848.7	1235.787	629.4	0.959	1.0664	0.2950	0.2264	1.303
3202	2742	849.3	1239.114	629.8	0.957	1.0666	0.2950	0.2265	1.303
3204	2744	849.9	1242.448	630.3	0.955	1.0668	0.2950	0.2265	1.303
3206	2746	850.5	1245.790	630.7	0.953	1.0670	0.2950	0.2265	1.303
3208	2748	851.1	1249.138	631.2	0.951	1.0672	0.2951	0.2265	1.303
3210	2750	851.7	1252.494	631.7	0.949	1.0674	0.2951	0.2265	1.303
3212	2752	852.3	1255.857	632.1	0.947	1.0675	0.2951	0.2266	1.303
3214	2754	852.9	1259.227	632.6	0.945	1.0677	0.2951	0.2266	1.303
3216	2756	853.5	1262.604	633.0	0.944	1.0679	0.2952	0.2266	1.303
3218	2758	854.1	1265.989	633.5	0.942	1.0681	0.2952	0.2266	1.302
3220	2760	854.6	1269.381	633.9	0.940	1.0683	0.2952	0.2267	1.302
3222	2762	855.2	1272.780	634.4	0.938	1.0685	0.2952	0.2267	1.302
3224	2764	855.8	1276.186	634.8	0.936	1.0686	0.2952	0.2267	1.302
3226	2766	856.4	1279.599	635.3	0.934	1.0688	0.2953	0.2267	1.302
3228	2768	857.0	1283.020	635.7	0.932	1.0690	0.2953	0.2267	1.302
3230	2770	857.6	1286.448	636.2	0.930	1.0692	0.2953	0.2268	1.302
3232	2772	858.2	1289.883	636.6	0.928	1.0694	0.2953	0.2268	1.302
3234	2774	858.8	1293.325	637.1	0.926	1.0696	0.2953	0.2268	1.302
3236	2776	859.4	1296.775	637.5	0.924	1.0697	0.2954	0.2268	1.302
3238	2778	860.0	1300.232	638.0	0.922	1.0699	0.2954	0.2268	1.302
3240	2780	860.6	1303.697	638.5	0.921	1.0701	0.2954	0.2269	1.302
3242	2782	861.1	1307.169	638.9	0.919	1.0703	0.2954	0.2269	1.302
3244	2784	861.7	1310.648	639.4	0.917	1.0705	0.2955	0.2269	1.302
3246	2786	862.3	1314.134	639.8	0.915	1.0706	0.2955	0.2269	1.302
3248	2788	862.9	1317.628	640.3	0.913	1.0708	0.2955	0.2269	1.302
3250	2790	863.5	1321.129	640.7	0.911	1.0710	0.2955	0.2270	1.302
3252	2792	864.1	1324.638	641.2	0.909	1.0712	0.2955	0.2270	1.302
3254	2794	864.7	1328.154	641.6	0.908	1.0714	0.2956	0.2270	1.302
3256	2796	865.3	1331.677	642.1	0.906	1.0716	0.2956	0.2270	1.302
3258	2798	865.9	1335.208	642.5	0.904	1.0717	0.2956	0.2271	1.302
3260	2800	866.5	1338.746	643.0	0.902	1.0719	0.2956	0.2271	1.302
3262	2802	867.1	1342.292	643.4	0.900	1.0721	0.2956	0.2271	1.302
3264	2804	867.6	1345.845	643.9	0.898	1.0723	0.2957	0.2271	1.302
3266	2806	868.2	1349.406	644.4	0.897	1.0725	0.2957	0.2271	1.302
3268	2808	868.8	1352.974	644.8	0.895	1.0726	0.2957	0.2272	1.302
3270	2810	869.4	1356.550	645.3	0.893	1.0728	0.2957	0.2272	1.302
3272	2812	870.0	1360.133	645.7	0.891	1.0730	0.2957	0.2272	1.302
3274	2814	870.6	1363.723	646.2	0.889	1.0732	0.2958	0.2272	1.302
3276	2816	871.2	1367.322	646.6	0.888	1.0734	0.2958	0.2272	1.302
3278	2818	871.8	1370.927	647.1	0.886	1.0735	0.2958	0.2273	1.302
3280	2820	872.4	1374.541	647.5	0.884	1.0737	0.2958	0.2273	1.302
3282	2822	873.0	1378.162	648.0	0.882	1.0739	0.2959	0.2273	1.302
3284	2824	873.6	1381.790	648.4	0.880	1.0741	0.2959	0.2273	1.302
3286	2826	874.2	1385.426	648.9	0.879	1.0743	0.2959	0.2273	1.302
3288	2828	874.7	1389.070	649.4	0.877	1.0744	0.2959	0.2274	1.301
3290	2830	875.3	1392.721	649.8	0.875	1.0746	0.2959	0.2274	1.301
3292	2832	875.9	1396.380	650.3	0.873	1.0748	0.2960	0.2274	1.301
3294	2834	876.5	1400.046	650.7	0.872	1.0750	0.2960	0.2274	1.301
3296	2836	877.1	1403.721	651.2	0.870	1.0752	0.2960	0.2274	1.301
3298	2838	877.7	1407.402	651.6	0.868	1.0753	0.2960	0.2275	1.301

Air Tables developed by K. W. Lindler - U. S. Naval Academy									
T	t	h	Pr	u	vr	φ	Cp	Cv	k
°R	°F	Btu/lbm		Btu/lbm		Btu/lbm°R	Btu/lbm°R	Btu/lbm°R	
3300	2840	878.3	1411.092	652.1	0.866	1.0755	0.2960	0.2275	1.301
3302	2842	878.9	1414.789	652.5	0.865	1.0757	0.2961	0.2275	1.301
3304	2844	879.5	1418.494	653.0	0.863	1.0759	0.2961	0.2275	1.301
3306	2846	880.1	1422.207	653.5	0.861	1.0761	0.2961	0.2276	1.301
3308	2848	880.7	1425.927	653.9	0.859	1.0762	0.2961	0.2276	1.301
3310	2850	881.3	1429.655	654.4	0.858	1.0764	0.2961	0.2276	1.301
3312	2852	881.9	1433.391	654.8	0.856	1.0766	0.2962	0.2276	1.301
3314	2854	882.4	1437.134	655.3	0.854	1.0768	0.2962	0.2276	1.301
3316	2856	883.0	1440.886	655.7	0.852	1.0770	0.2962	0.2277	1.301
3318	2858	883.6	1444.645	656.2	0.851	1.0771	0.2962	0.2277	1.301
3320	2860	884.2	1448.412	656.6	0.849	1.0773	0.2962	0.2277	1.301
3322	2862	884.8	1452.186	657.1	0.847	1.0775	0.2963	0.2277	1.301
3324	2864	885.4	1455.969	657.5	0.846	1.0777	0.2963	0.2277	1.301
3326	2866	886.0	1459.759	658.0	0.844	1.0778	0.2963	0.2278	1.301
3328	2868	886.6	1463.557	658.5	0.842	1.0780	0.2963	0.2278	1.301
3330	2870	887.2	1467.363	658.9	0.841	1.0782	0.2963	0.2278	1.301
3332	2872	887.8	1471.177	659.4	0.839	1.0784	0.2964	0.2278	1.301
3334	2874	888.4	1474.999	659.8	0.837	1.0786	0.2964	0.2278	1.301
3336	2876	889.0	1478.829	660.3	0.836	1.0787	0.2964	0.2279	1.301
3338	2878	889.6	1482.666	660.7	0.834	1.0789	0.2964	0.2279	1.301
3340	2880	890.1	1486.512	661.2	0.832	1.0791	0.2964	0.2279	1.301
3342	2882	890.7	1490.365	661.6	0.831	1.0793	0.2965	0.2279	1.301
3344	2884	891.3	1494.226	662.1	0.829	1.0794	0.2965	0.2279	1.301
3346	2886	891.9	1498.096	662.6	0.827	1.0796	0.2965	0.2280	1.301
3348	2888	892.5	1501.973	663.0	0.826	1.0798	0.2965	0.2280	1.301
3350	2890	893.1	1505.858	663.5	0.824	1.0800	0.2965	0.2280	1.301
3352	2892	893.7	1509.751	663.9	0.822	1.0802	0.2966	0.2280	1.301
3354	2894	894.3	1513.652	664.4	0.821	1.0803	0.2966	0.2280	1.301
3356	2896	894.9	1517.562	664.8	0.819	1.0805	0.2966	0.2281	1.301
3358	2898	895.5	1521.479	665.3	0.818	1.0807	0.2966	0.2281	1.301
3360	2900	896.1	1525.404	665.8	0.816	1.0809	0.2966	0.2281	1.301
3362	2902	896.7	1529.337	666.2	0.814	1.0810	0.2967	0.2281	1.300
3364	2904	897.3	1533.279	666.7	0.813	1.0812	0.2967	0.2281	1.300
3366	2906	897.9	1537.228	667.1	0.811	1.0814	0.2967	0.2282	1.300
3368	2908	898.5	1541.186	667.6	0.810	1.0816	0.2967	0.2282	1.300
3370	2910	899.0	1545.151	668.0	0.808	1.0817	0.2967	0.2282	1.300
3372	2912	899.6	1549.125	668.5	0.806	1.0819	0.2968	0.2282	1.300
3374	2914	900.2	1553.107	668.9	0.805	1.0821	0.2968	0.2282	1.300
3376	2916	900.8	1557.097	669.4	0.803	1.0823	0.2968	0.2283	1.300
3378	2918	901.4	1561.095	669.9	0.802	1.0824	0.2968	0.2283	1.300
3380	2920	902.0	1565.101	670.3	0.800	1.0826	0.2968	0.2283	1.300
3382	2922	902.6	1569.116	670.8	0.798	1.0828	0.2969	0.2283	1.300
3384	2924	903.2	1573.138	671.2	0.797	1.0830	0.2969	0.2283	1.300
3386	2926	903.8	1577.169	671.7	0.795	1.0832	0.2969	0.2284	1.300
3388	2928	904.4	1581.208	672.1	0.794	1.0833	0.2969	0.2284	1.300
3390	2930	905.0	1585.255	672.6	0.792	1.0835	0.2969	0.2284	1.300
3392	2932	905.6	1589.311	673.1	0.791	1.0837	0.2970	0.2284	1.300
3394	2934	906.2	1593.375	673.5	0.789	1.0839	0.2970	0.2284	1.300
3396	2936	906.8	1597.446	674.0	0.787	1.0840	0.2970	0.2285	1.300
3398	2938	907.4	1601.527	674.4	0.786	1.0842	0.2970	0.2285	1.300

Air Tables developed by K. W. Lindler - U. S. Naval Academy									
T	t	h	Pr	u	vr	φ	Cp	Cv	k
°R	°F	Btu/lbm		Btu/lbm		Btu/lbm°R	Btu/lbm°R	Btu/lbm°R	
3400	2940	908.0	1605.615	674.9	0.784	1.0844	0.2970	0.2285	1.300
3402	2942	908.5	1609.712	675.3	0.783	1.0846	0.2971	0.2285	1.300
3404	2944	909.1	1613.817	675.8	0.781	1.0847	0.2971	0.2285	1.300
3406	2946	909.7	1617.931	676.3	0.780	1.0849	0.2971	0.2285	1.300
3408	2948	910.3	1622.052	676.7	0.778	1.0851	0.2971	0.2286	1.300
3410	2950	910.9	1626.182	677.2	0.777	1.0852	0.2971	0.2286	1.300
3412	2952	911.5	1630.321	677.6	0.775	1.0854	0.2972	0.2286	1.300
3414	2954	912.1	1634.468	678.1	0.774	1.0856	0.2972	0.2286	1.300
3416	2956	912.7	1638.623	678.5	0.772	1.0858	0.2972	0.2286	1.300
3418	2958	913.3	1642.786	679.0	0.771	1.0859	0.2972	0.2287	1.300
3420	2960	913.9	1646.958	679.5	0.769	1.0861	0.2972	0.2287	1.300
3422	2962	914.5	1651.139	679.9	0.768	1.0863	0.2973	0.2287	1.300
3424	2964	915.1	1655.328	680.4	0.766	1.0865	0.2973	0.2287	1.300
3426	2966	915.7	1659.525	680.8	0.765	1.0866	0.2973	0.2287	1.300
3428	2968	916.3	1663.731	681.3	0.763	1.0868	0.2973	0.2288	1.300
3430	2970	916.9	1667.945	681.7	0.762	1.0870	0.2973	0.2288	1.300
3432	2972	917.5	1672.168	682.2	0.760	1.0872	0.2973	0.2288	1.300
3434	2974	918.1	1676.399	682.7	0.759	1.0873	0.2974	0.2288	1.300
3436	2976	918.7	1680.639	683.1	0.757	1.0875	0.2974	0.2288	1.300
3438	2978	919.2	1684.887	683.6	0.756	1.0877	0.2974	0.2289	1.300
3440	2980	919.8	1689.144	684.0	0.754	1.0879	0.2974	0.2289	1.300
3442	2982	920.4	1693.409	684.5	0.753	1.0880	0.2974	0.2289	1.299
3444	2984	921.0	1697.683	684.9	0.751	1.0882	0.2975	0.2289	1.299
3446	2986	921.6	1701.965	685.4	0.750	1.0884	0.2975	0.2289	1.299
3448	2988	922.2	1706.256	685.9	0.749	1.0885	0.2975	0.2290	1.299
3450	2990	922.8	1710.556	686.3	0.747	1.0887	0.2975	0.2290	1.299
3452	2992	923.4	1714.864	686.8	0.746	1.0889	0.2975	0.2290	1.299
3454	2994	924.0	1719.181	687.2	0.744	1.0891	0.2976	0.2290	1.299
3456	2996	924.6	1723.506	687.7	0.743	1.0892	0.2976	0.2290	1.299
3458	2998	925.2	1727.840	688.2	0.741	1.0894	0.2976	0.2290	1.299
3460	3000	925.8	1732.183	688.6	0.740	1.0896	0.2976	0.2291	1.299
3462	3002	926.4	1736.534	689.1	0.738	1.0898	0.2976	0.2291	1.299
3464	3004	927.0	1740.895	689.5	0.737	1.0899	0.2977	0.2291	1.299
3466	3006	927.6	1745.263	690.0	0.736	1.0901	0.2977	0.2291	1.299
3468	3008	928.2	1749.641	690.4	0.734	1.0903	0.2977	0.2291	1.299
3470	3010	928.8	1754.027	690.9	0.733	1.0904	0.2977	0.2292	1.299
3472	3012	929.4	1758.422	691.4	0.731	1.0906	0.2977	0.2292	1.299
3474	3014	930.0	1762.826	691.8	0.730	1.0908	0.2977	0.2292	1.299
3476	3016	930.6	1767.238	692.3	0.729	1.0910	0.2978	0.2292	1.299
3478	3018	931.2	1771.660	692.7	0.727	1.0911	0.2978	0.2292	1.299
3480	3020	931.7	1776.090	693.2	0.726	1.0913	0.2978	0.2293	1.299
3482	3022	932.3	1780.528	693.7	0.724	1.0915	0.2978	0.2293	1.299
3484	3024	932.9	1784.976	694.1	0.723	1.0916	0.2978	0.2293	1.299
3486	3026	933.5	1789.433	694.6	0.722	1.0918	0.2979	0.2293	1.299
3488	3028	934.1	1793.898	695.0	0.720	1.0920	0.2979	0.2293	1.299
3490	3030	934.7	1798.372	695.5	0.719	1.0921	0.2979	0.2293	1.299
3492	3032	935.3	1802.855	695.9	0.717	1.0923	0.2979	0.2294	1.299
3494	3034	935.9	1807.347	696.4	0.716	1.0925	0.2979	0.2294	1.299
3496	3036	936.5	1811.848	696.9	0.715	1.0927	0.2979	0.2294	1.299
3498	3038	937.1	1816.358	697.3	0.713	1.0928	0.2980	0.2294	1.299